처음 배우는 ABA
| 이론편 |

을 위해 유튜브 강의로 부모교육을 진행한 것도 같은 이유 때문이었다.

무엇보다 그는 ABA로 아이를 치료하는 데 있어서 타의 추종을 불허한다. 로바스 박사로부터 ABA를 배운 이후로 그는 ABA 수준을 한층 더 끌어올려 자신만의 치료법을 정립했다. 또 단순히 ABA 이론을 아는 데 멈추지 않고 실제로 아이를 치료하는 수많은 임상에 참여하면서 탁월한 치료 능력을 발휘했다. 그가 아이를 치료한 영상을 보면 부모도 감당하기 어려운 아이가 놀라운 모습으로 변화되는 것을 확인할 수 있다.

밥 선생님은 ABA 치료를 치료사나 센터에만 맡기지 말고 부모도 적극적으로 참여하도록 독려한다. 거기에는 몇 가지 이유가 있다. 부모는 아이의 강점과 약점을 잘 알고 있을 뿐만 아니라 아이의 발전을 향한 열망이 누구보다 강하므로 아이를 잘 가르칠 수 있다고 믿기 때문이다. 또 치료사가 없는 시간에도 치료사 대신 부모가 일관성 있게 행동 중재를 할수 있기 때문이다. ABA 치료는 동일한 중재를 일관성 있게 진행해야 효과가 있는데, 부모가 치료에 참여해야만 가능하다. 따라서 밥 선생님은 부모교육을 하지 않는 ABA를 반쪽짜리 ABA로 규정한다.

밥 선생님의 소중한 가르침은 내 연약한 아이를 가르치는 소중한 밑거름이 되었다. 밥 선생님이 쥐여 준 ABA 나침반 덕분에 지난 8년 동안 길을 잃지 않고 오직 아이의 회복만을 꿈꾸며 최선의 길을 걸어올 수 있었다. 나와 아이를 위해 소중한 나침반이 되어준 밥 선생님의 강의를 책으로 출간하게 되어 무척 기쁘다. 이 책은 나와 비슷한 길을 걸어갈 부모들에게 소중한 나침반이 될 것이다. 치료에 어려움을 겪을 때마다 책을 펼치면 올바른 길로 안내할 것이다.

책을 읽다 보면 밥 선생님의 명쾌한 강의를 듣는 것처럼 내용이 친숙하게 다가온다. 책에 깃든 밥 선생님의 이야기에 귀 기울이다 보면 더는 자폐 아이를 키우는 것이 두렵지 않을뿐더러 날마다 회복하는 아이를 목격하게 될 것이다.

권현정
ABA캥거루 대표

자녀의 치료와 회복을 간절히 원했던 한국 부모들의 연락을 처음 받았을 때가 생각난다. 당시 한국 부모들은 치료 전문가들로부터 이런 이야기를 들었다고 한다.

"자폐스펙트럼장애는 선천적 장애이므로 치료와 회복이 불가능합니다."

"아이가 더 나은 삶을 살 것이라는 희망은 내려놓으세요."

"ABA 치료는 전문가만이 할 수 있습니다."

그러나 집념이 강한 한국 부모들은 아이를 포기하지 않고 어떻게든 치료하려고 애썼다. 자발적으로 온라인 커뮤니티를 만들어 정보를 공유하며 ABA를 공부해 직접 자녀를 치료했다. 부모들은 나의 멘토였던 이바 로바스(O. Ivar Lovaas) 박사의 책에 소개된 ABA 이론과 실행 방법을 배우려 했다. 로바스 박사의 책은 일본에서 번역된 후 재편집 되었고, 다시 한국어로 번역되었다. 한국의 부모들은 이 책으로 공부하고 있었다. 그 외에는 참고할 만한 ABA 자료가 턱없이 부족했다. 그런데도 부모들은 가능한 모든 방법을 동원해 ABA를 배우려고 필사적인 노력을 기울이고 있었다.

한국 부모들을 만나기 전까지만 해도 나는 한국에 아무 연고가 없었다. 한국의 자폐 아이들에게 치료 서비스를 제공한다는 것은 꿈에도 생각해 본 적이 없었다. 한국 부모들을 만난 것은 순전히 우연의 일치였다. 내가 속한 클리닉의 고객이었던 한 어머니가 ABA 치료를 받던 자녀 영상을 한국의 부모 커뮤니티에 올렸다. 한국 부모들에게 조금이라도 도움을 주려는 의도였다.

영상을 본 한국 부모들은 정교하게 아이를 다루는 치료 방법에 충격을 받았다. 일단 부모들이 알고 있던 ABA 치료와 큰 차이가 있었고, 치료받는 아이가 날마다 발전하는 모습이 놀라웠기 때문이다. 치료 영상이 공개된 후 도움을 요청하는 한국 부모들의 이메일과 전화가 클리닉으로 쇄도했다.

한국의 부모들은 자녀의 회복을 위해서라면 물불을 가리지 않을 정도로 무한한 희생정신과 열정을 보여주었다. 그 모습을 보면서 깊은 감동이 밀려왔다. 한국 부모들을 위해 무엇이라도 해야 할 것 같았다. 그것이 한국의 자폐 아이들에게 치료 서비스를 제공하는 긴 여정의 출발이었다.

사실 우리 클리닉이 원래 계획했던 목표는 한국의 ABA 치료 환경을 개선하는 일이었다. 이 일을 위해 우리와 협력해 한국에서 ABA 치료 서비스를 관리 감독할 전문가를 찾아야 했다. 준비된 전문가가 있다면 가장 효과적인 ABA 치료법을 공유하고 싶었다. 그러나 안타깝게도 한국의 전문가들은 ABA 치료의 질적 수준을 높이고 치료 기회를 확대하는 일에는 관심이 없었다. 사업적인 성공에 관심이 더 많았다.

고민 끝에 우리는 ABA를 배운 부모들과 협력해 일산과 파주 지역의 아이들에게 직접 치료 서비스를 제공하기로 했다. 처음 치료 서비스를 받은 아이들은 네 명이었다. 학령기에 접어든 아이들이라 치료 시기는 다소 늦었지만, 치료를 받는 동안 아이들은 많은 발전을 보여주었다. 지난해에는 서비스를 받는 아이 중 한 명이 사실상 자폐를 극복할 정도로 큰 변화가 있었다.

한국 부모들은 자신들이 겪었던 어려움을 생각하며 다른 부모들을 돕기 위한 작업에도 착수했다. 부모가 ABA를 배워 자녀를 직접 가르칠 수 있도록 교육 단체를 설립한 것이다. 이렇게 탄생한 것이 'ABA캥거루'다. ABA캥거루는 매주 토요일 라이브 방송으로 ABA 정보를 제공하고 부모들이 겪는 어려움을 함께 해결하려고 노력하고 있다. 내가 속한 ABA베어스도 ABA캥거루와 파트너 관계를 맺고 유튜브와 줌으로 부모 교육과 컨설팅 프로그램을 함께 진행하고 있다.

이 책은 ABA캥거루에서 진행한 방송 중 ABA 이론 강의를 정리한 것이다. ABA 이론서이지만, 처음 배우는 사람도 쉽게 이해하도록 오랜 치료 경험을 반영했다.

거친 강의를 정성껏 번역하고 편집해 멋진 책으로 만들어 준 캥거루북스에 고마운 마음을 전한다. 아이의 잠재력을 믿고 아이 안에 숨겨진 능력을 끌어내기 위해 매일매일 분투하는 부모들에게 작은 도움이라도 건넬 수 있어서 기쁘다.

이 책이 희망의 끈을 놓지 않고 자녀의 더 나은 미래를 향해 나아가는 부모들에게 좋은 안내자가 되길 바란다.

밥 첸(Bob Chen)

차례

5장 ABA 교수법 1 - 비연속 개별시도 교수법(DTT)

1장

자폐스펙트럼장애와 ABA

1. 자폐를 바라보는 관점을 바꿔라

자폐 아이가 모두 똑같은 증상을 보이는 것은 아니다. 언어 능력의 손상으로 의사소통이 어려운 아이가 있는가 하면, 말을 잘하는 아이도 있다. 운동 기능이 뒤처져 간단한 신체 활동도 어려워하는 아이가 있는가 하면, 운동 기능이 뛰어난 아이도 있다. 감각이 예민해 주변 소음과 환경에 민감한 아이가 있는가 하면, 감각에 문제가 없어 일상에서 별다른 어려움을 겪지 않는 아이도 있다.

이처럼 자폐 아이의 성향이 다양하기에 스펙트럼 개념을

도입해 자폐스펙트럼장애*라고 한다. 자폐스펙트럼장애는 발달장애 중 하나로 다양한 증상이 나타나는 범주성 장애다. 자폐는 아이 성장에 영향을 주는 다양한 증상이 나타난다. 자폐 증상이 획일적으로 나타나지 않고 아이마다 다양한 형태로 나타나기에 진단에도 어려움이 따른다.

　자폐는 태어난 지 36개월 이전에 발달장애의 징후로 나타난다. 심장질환이나 폐질환 같은 일반 질병은 임상병리 검사로 진단하지만, 자폐 진단은 그렇게 할 수 없다. 예를 들어 빈혈이나 백혈병은 혈액 검사로 질병의 유무를 확인한다. 마찬가지로 PCR(Polymerase Chain Reaction, 중합효소연쇄반응) 검사를 하면 코로나19 바이러스 감염 여부를 확인할 수 있다. 임신도 진단 검사로 임신 여부를 정확히 판별할 수 있다. 그러나 자폐스펙트럼장애는 일반적인 질병이나 장애와는 다르다. 머리카락이 까맣다는 것은 보기만 해도 알지만, 자폐는 그런 식으로 식별할 수 없다. 자폐를 명확하게 판별해주는 진단 검사가 존재하지 않기 때문이다.

---

* 정신질환 진단 및 통계 매뉴얼의 다섯 번째 개정판(DSM-5)에서 다양한 자폐 증상은 '자폐스펙트럼장애'(Autism Spectrum Disorder)라는 진단명으로 통합되었다. 이 책에서는 자폐스펙트럼장애를 편의상 '자폐'로 기술한다.

자폐는 의사들과 심리학자들이 진단을 위해 아이에게서 일반적으로 나타나는 증상을 가리킬 때 사용하는 명칭이다. 대표적인 증상은 의사소통의 어려움과 사회적 상호작용의 결함, 제한적이고 반복적인 행동과 관심사다. 전문가들은 아이가 일정한 발달 기준에 미치지 못하면 자폐로 간주하고, 기준을 넘어서면 자폐가 아닌 것으로 판정한다. 그렇다고 자폐 진단 기준이 고정된 것은 아니다. 지난 수십 년간 자폐 진단 기준은 변해왔고, 앞으로도 변할 것이다. 따라서 자폐는 지금까지 아이에게 나타나는 몇 가지 증상들에 붙여진 명칭이지 실체가 있는 것이 아니다.

　자폐가 증상에 붙는 명칭이라고 말하는 이유는 자폐를 실체로 인정하면 의도치 않게 사람의 잘못된 믿음을 강화하기 때문이다. 많은 경우 사람은 존재하지 않는 어떤 것이 진짜로 있다고 믿으면, 그것을 실체로 생각하고 행동한다. 부모가 자녀의 자폐를 하나의 실체로 받아들이면 아이가 하는 행동, 특히 부적절한 행동의 원인을 자폐 탓으로 돌린다. 아이의 잘못된 행동을 타고난 성향으로 간주한다. 그 결과 '우리 아이는 원래 이런 아이라 내가 바꿀 수 없어. 내가 할 수 있는 게 없어.'라고 생각하며 처음부터 아이를 포기한다.

우리는 태어나는 순간부터 가족의 영향과 성장 과정에서 경험한 일이 쌓여 현재의 모습이 되었다. 자폐 아이도 우리와 다르지 않다. 자폐 아이의 행동을 자세히 살펴보면 아이의 행동 대부분도 학습된 것이다. 자폐 아이는 원하는 것을 얻기 위해 어떻게 해야 하는지 충분히 학습되어 있다. **자폐 아이의 부적절한 행동 역시 학습의 결과다. 자폐 때문이 아니다.** 만일 아이의 부적절한 행동을 자폐 때문이라고 생각하면, 부모는 아이의 행동을 바꾸기 위해 아무 노력도 기울이지 않을 것이다.

　　자폐를 실체로 받아들이는 부모는 아이를 향한 기대치도 낮다. 처음부터 아이가 제대로 배우거나 적절하게 행동할 것으로 기대하지 않는다. 부모는 아이의 모든 행동을 자폐 영향으로 간주해 아이가 늘 같은 수준에 머물며 같은 행동을 반복하는 것을 당연하게 여긴다. 따라서 자폐를 실체로 인정하면 안 된다. 아이의 발전을 원하는 부모는 자폐가 실재한다는 생각부터 버려야 한다. 자폐를 실체로 받아들이면 아이가 부적절한 행동을 할 때도 자폐 탓을 하며 넘어가기 때문이다.

　　최근에 미국의 한 초등학교에서 비슷한 경험을 했다. 내가 일하는 클리닉에서 치료받는 아이를 직접 학교에 가서도 돕고 싶었다. 그래서 치료사가 아이와 함께 입실하게 해 달라고 학교에 협조를 요청했다. 연락을 받은 학교의 담당 교사는 그 요청을 받아들이지 않았다. 교사는 손을 흔드는 자폐 아이의 감각 자극 행동을 당연한 것으로 여겼고, 자폐 아이는 절대 바뀌지 않는다고 확신했기 때문이다. 이렇게 생각하는 사람이 치료사의 입실을 받아줄 리가 없었다.

그러나 아이의 치료 과정을 기록한 데이터는 다른 결과를 보여주었다. 그 아이는 처음에 손을 굉장히 많이 흔들었지만, 손을 덜 흔들도록 가르치자 아이 상태가 한결 좋아졌다. 부족한 기능이 향상되면서 아이는 도전적 행동도 하지 않았고 다양한 활동도 가능해졌다.

앞의 교사처럼 아이의 행동 원인을 무조건 자폐 탓으로 돌리면 아이가 어떻게 행동하든 용납하게 된다. 아이가 자폐라서 바뀌지 않는다고 믿고 그대로 두면 아이의 기능은 결코 향상될 수 없다. 오히려 갈수록 아이의 문제행동이 강화되면서 또 다른 문제가 발생한다.

그러면 자폐 아이를 어떻게 이해해야 할까? 자폐 아이도 일반 아이처럼 강점과 약점을 갖고 있지만, 일반 아이와는 다른 독특한 아이로 생각해야 한다. 일반 아이와 마찬가지로 아이의 강점과 약점을 파악해 약점을 극복하도록 도와야 한다. 다만 아이의 독특한 성향 때문에 교육 과정에서 다양한 접근이 필요하다.

예를 들어, 소통능력이 부족한 아이라면 타인과 소통하도록 도와야 한다. 그런데 자폐 아이는 상호작용을 어려워해 일반 아이와 다른 방식으로 접근해야 한다. 바로 이 지점에서 부모와 교사 그리고 치료사의 적극적인 개입이 필요하다.

2. 그래서 ABA가 필요하다

가르치는 사람이 가장 주목할 부분은 자폐 아이의 문제행동과 부족한 기능이다. 일반 아이와 비교해 자폐 아이의 과잉 행동이 무엇이고, 부족한 기능은 무엇이고, 뒤처진 발달 행동이 무엇인지 자세히 살펴야 한다.

사실 자폐 아이가 하는 행동은 일반 아이가 하는 행동과 똑같다. 차이가 있다면 특정 상황에서 그 행동을 더 오래 심하게 한다는 것이다. 이 점을 제외하면 아이가 보여주는 행동 자체는 일반 아이가 하는 행동과 똑같다.

모든 아이는 똑같이 울고, 소리 지르고, 짜증 내고, 공격적으로 행동하고, 도망 다니고, 말을 안 듣는다. 정도의 차이가 있을 뿐 아이들의 행동은 대부분 비슷하다. 아이들은 정말 원하는 것을 갖지 못할 때 떼를 쓴다. 자폐 아이도 같은 상황에서 떼를 쓰며 짜증을 내지만, 구체적인 상황은 조금 다르다. 가령, 항상 왼쪽 길로 다니던 자폐 아이는 오른쪽 길로 가는 것을 용납하지 않는다. 부모가 오른쪽 길로 가려고 하면 원래대로 왼쪽 길을 고집한다. 이때 부모가 자기 행동을 받아주지 않으면 한 시간이고 두 시간이고 떼쓰며 저항한다. 이처럼 사소한 일에도 아이의 반응은 극단적인 성향을 띤다.

자폐 아이에게서 나타나는 자기 자극 행동*도 마찬가지다. 자기 자극이란 아이가 몸이나 손을 흔들고, 까치발로 걷고, 반복적으로 물건을 돌리고, 돌아가는 선풍기를 계속 쳐다보는 등의 독특한 행동을 일컫는다. 보통 자기 자극을 자폐 아이의 특성으로 이해하는데 일반 아이도 특정 상황에 놓이면 똑같이 행동한다. 장난감이나 다른 놀거리가 없는 방에 일반 아이를 홀로 머물게 하면 아이는 얼마 지나지 않아 혀로 벽을 핥기 시작한다. 아이가 할 수 있는 것이 하나도 없기 때문

---

* 특정한 감각 자극을 지속적으로 추구하는 행동

이다.

　사실 자폐 아이는 노는 방법을 모른다. 장난감을 가지고 어떻게 노는지, 또래 아이와 어떻게 놀아야 하는지 알지 못한다. 그뿐만 아니라 머릿속으로 상상하며 노는 방법도 모른다. 노는 방법을 모르니 하루 중 많은 시간을 지루하게 보낸다. 하루하루를 지루하게 보내야 하는 아이 입장에서는 자기 자극 행동이라도 하는 게 더 나은 것이다. 자폐 아이가 자기 자극 행동을 하는 이유가 여기에 있다. 텅 빈 방에 일반 아이를 혼자 두었을 때 자폐 아이와 똑같이 행동하는 이유도 마찬가지다.

　자폐 아이는 새로운 상황이나 다른 상황을 수용하는 능력이 부족하다. 대표적으로 자폐 아이는 한정된 음식만 먹는다. 달걀이나 햄 같은 특정 음식만 먹는다. 평소 먹는 음식과 다른 식감과 향이 있는 음식은 먹지 않는다. 다양한 옷을 입는 것을 어려워하는 아이도 있다. 이런 아이는 옷감의 재질에 민감하고 옷의 상표가 몸에 닿는 것을 싫어한다. 그래서 항상 특정 종류의 옷이나 특정 색깔의 옷만 입는다. 아이가 선호하지 않는 옷을 입히려고 하면 심한 거부 반응을 보인다.

특정 조명과 소리에 민감하게 반응하는 아이도 있다. 깜빡이는 형광등을 보며 짜증 내거나 특정 소리가 싫어서 귀를 막기도 한다. 이 같은 상황에서 아이는 강하게 저항하거나 부정적인 반응을 나타낸다. 물론 일반 아이 중에도 편식이 심하고 낯선 환경에 쉽게 적응하지 못하는 아이가 있다. 그러나 자폐 아이는 그 정도가 훨씬 심하다.

자폐 아이는 손톱이나 머리를 자르는 일도 쉽지 않다. 어쩔 수 없이 부모는 아이가 잠들 때까지 기다렸다가 자르기도 한다. 약을 먹이는 일도 보통 어려운 게 아니다. 약을 먹이려면 온갖 방법을 동원해야 한다. 알약을 빻아 가루로 만들고 아이가 약의 맛을 느끼지 못하도록 음식에 섞기도 한다. 아이가 하기 싫어하는 일을 실행하려면 온갖 방법을 동원해야 한다. 이처럼 자폐 아이가 받아들이지 못하는 일을 하도록 가르치는 것은 몹시 어려운 일이다. 이런 어려움을 해결하는 것이 응용행동분석(Applied Behavior Analysis, ABA)이다.

자폐 아이의 문제행동은 아이의 학습을 방해하고, 아이가 다양한 놀이를 즐길 기회를 빼앗는다. ABA는 자폐 아이의 문제행동을 서서히 줄여가다 사라지게 하려는 목적으로 만들어졌다. 또 ABA는 다양한 자극들에 대한 수용 능력이 부족한 아이가 자신의 한계를 극복하도록 돕는다. 한정된 음식만 먹는 아이가 과일, 채소 등 다양한 음식을 먹을 수 있게 한다. 특정 옷만 고집하는 아이가 다양한 종류의 옷을 입고, 머리 자르고 감는 것을 참을 수 있게 한다. ABA는 민감한 아이가 일상에서 겪는 모든 어려운 상황을 다루어 아이가 건강하고 행복한 삶을 살도록 도와준다.

의사소통 능력의 부족도 자폐 아이가 극복해야 할 중요한 기능이다. 자폐 아이는 손가락으로 원하는 사물을 가리키지 못하고, 자신이 하고 싶은 말을 다른 사람에게 효과적으로 전달하지 못한다. ABA 프로그램은 아이의 효과적인 의사소통을 위한 구체적인 방법을 가르친다. 아이가 원하는 것을 손가락으로 가리키고, 머리를 끄덕이거나 흔들어서 '예', '아니오'를 표시하고, 원하는 것을 예의 바르게 부탁하도록 한다. 언어 능력이 부족한 아이의 경우 물건이 있는 사진을 상대에게 보여주는 방법으로 자기가 무엇을 원하는지 알게 한다. 일반 아이와 마찬가지로 자폐 아이도 옷 입기, 양치질하기, 손 씻기 등을 스스로 하도록 가르친다.

자폐 아이가 배움에 어려움을 겪는 가장 큰 원인으로 모방 능력의 부족을 들 수 있다. 일반 아이는 부모나 형제자매의 행동을 흉내 내며 스스로 배우지만, 자폐 아이는 모방 능력이 부족해 혼자서는 배우지 못한다. 따라서 가르치는 사람은 아이가 모방 능력을 키우려면 어떤 기술이 필요하고, 각각의 기술을 단계별로 가르치려면 어떻게 해야 하는지 알아야 한다. 자폐 아이는 단계별로 명확하게 가르쳐야 배울 때 어려움을 겪지 않는다. ABA는 복잡한 기술도 단계별로 나누어 가르치기에 아이가 쉽게 배우게 하는 장점이 있다.

눈 맞춤이 안 되는 것도 자폐 아이의 큰 특징이다. 눈 맞춤의 문제는 영유아 시기부터 나타난다. 최첨단 의료 장치를 사용해 아기의 눈동자 움직임을 추적하면, 영유아기에도 자폐 성향이 있는지 미리 확인할 수 있다. 실제로 자폐 진단을 받은 아이는 아주 어릴 때부터 눈 맞춤을 어려워했음을 알 수 있다. 눈 맞춤을 어려워하는 아이는 ABA를 이용해 눈 맞춤을 향상할 수 있다.

대부분의 자폐 아이는 언어 발달도 느리다. 심지어 일부 아이는 말을 하지 못한다. 많은 아이가 자신이 들었던 단어나 문장은 따라 하면서도 정작 대화할 때는 언어를 효과적으로 사용하지 못한다. 자신의 경험을 간단하게 말하는 것조차 어려워한다. 나아가 자폐 아이는 다른 사람과 상호작용을 어떻게 하는지 모를뿐더러 관계를 형성하고 함께 노는 방법도 모른다. 사회성이 자폐 아이에게 가장 취약한 발달 기능이다. 사회성이 부족한 아이는 다른 사람의 감정을 읽고, 다른 사람의 감정에 따라 행동을 조절하는 능력이 부족하다. 타인의 감정에 공감하지 못하기에 관계를 진전시키지 못한다.

ABA는 뒤처진 언어 기능과 사회성 부족도 다룬다. ABA는 언어의 모든 면을 구체적으로 다루어 언어가 의사소통의 도구임을 이해시킨다. 이를 바탕으로 언어 능력을 길러서 일반 아이처럼 학습하고, 상호작용하고, 다른 사람의 말을 듣게끔 한다. 아이에게 질문하고 대답하는 법을 가르치고, 더 복잡한 말들을 이해할 수 있게 도와준다. 또 ABA는 다양한 놀이 기술을 가르치고 일반화 과정으로 부족한 사회성을 극복하도록 돕는다.

지금까지 다양한 자폐 치료법이 등장했지만, 대부분의 치료법은 제대로 된 검증 과정을 거치지 않았다. ABA만이 유일하게 과학적 연구결과를 바탕으로 만들어진 치료법이라는 점에서 신뢰할 만하다.

3. ABA 치료가 보여준 놀라운 결과

　자폐 아이에게 ABA를 적용하는 연구는 이제 60년 가까이 되었다. ABA는 자폐 아이 치료에 확실히 효과적이다. 지난 수십 년간 자폐 아이들을 치료해 오면서 그 효과를 직접 확인할 수 있었다. 매일 일정 시간 ABA로 아이를 치료하면서 아이의 삶이 바뀌는 것을 목격했다. 나는 아이와 치료를 시작한 날부터 매일 데이터를 기록해 오고 있다. 아이가 보이는 행동과 아이가 겪는 어려움을 모두 기록한다. 기록한 데이터를 보면 치료받은 아이의 기능이 얼마나 향상되었는지 알 수 있다.

ABA 치료는 1987년 로바스 박사의 연구로부터 시작되었다. 로바스 박사의 연구는 조기집중행동중재(Early Intensive Behavior Intervention, EIBI)로 자폐 아이를 치료한 최초의 실험이었다.

이 연구는 네 살 미만의 유아들을 대상으로 실시했다. 아이가 어릴수록 특정 환경에서 배운 기술을 다른 환경에서도 재현하는 일반화가 쉽기 때문이었다. 실험 기간 내내 아이들은 고강도의 집중치료를 받았다. 주 40시간 이상 일대일 치료를 진행했다. '주 40시간'은 아이가 깨어 있는 내내 치료받아야 치료 효과가 극대화된다는 가설을 입증하려고 지정한 시간이었다. 이 실험은 아이가 속한 환경과 관련된 사람이 모두 참여했다. 아이와 관련된 모든 사람이 ABA 원칙에 따라 일관성 있게 아이를 치료하기 위해서였다.

전문가들이 ABA 치료를 받은 자폐 아이들의 발달 수준을 다시 평가했을 때 놀라운 결과가 나왔다. ABA로 주 40시간 치료받은 아이들 가운데 47%가 일반 아이 수준으로 향상되었다. 치료받은 아이들은 일반 아이와 구분되지 않을 정도로 발전해 일반 교육이 가능했다. 지능지수(IQ)가 정상 범위 안에 들었으며 공립학교에서 1학년 교육 과정도 성공적으로 마쳤다. 이처럼 ABA는 자폐 아이가 완치 수준까지 회복 가능하다는 것을 연구결과로 보여주었다.

부모 중에는 이렇게 묻는 사람이 있다. "최근에 다양한 자폐 치료법이 등장하는데, 그것도 시도해봐야 하지 않나요?" 1960~70년대에 처음 자폐 치료 연구를 시작할 때만 해도 ABA는 실험적인 치료법이었다. 이 실험적인 치료법으로 자폐 아이가 회복되는 놀라운 결과가 나타났다. 그렇기에 최근의 실험적인 치료를 시도하는 것도 의미가 있지 않겠냐는 것이다. 이 질문에 대해 나는 1960~1970년대와 지금의 상황은 다르다고 말할 수밖에 없다.

그때는 자폐 아이를 치료할 마땅한 치료법이 없었다. "이 방법이 자폐 치료에 효과가 있다."라고 말할 만한 것이 없었다. 자폐 아이는 정신병원이나 장애인 시설에 보내졌고, 그렇지 않으면 가족 중 한 사람이 전적으로 돌봐야 했다. 그 외에 다른 방법이 없었다. 만약 아이를 시설에 보내거나, 가족 중 한 사람이 헌신해 돌보거나, 실험적인 치료를 받는 것 중 하나를 택하라면 당신은 어떻게 하겠는가? 당연히 실험적인 치료를 선택할 것이다. 결과가 불확실하더라도 실험적인 치료로 아이의 회복을 기대할 수 있기 때문이다.

그러나 지금은 실험으로 효과가 입증된 ABA 치료가 있다. ABA 치료의 효과를 입증하는 증거는 이미 충분하다. 검증되지 않은 다른 치료를 선택할 필요가 없다. 아이가 자폐 진단을 받으면 곧바로 ABA 치료를 시작하면 된다. 물론 ABA 치료가 효과가 없다면 다른 실험적인 치료법을 찾아볼 수 있다. 그러나 처음부터 ABA 대신 다른 실험적인 치료법을 선택하는 것은 신중해야 한다. 잘못된 선택으로 아이의 미래를 망칠 수 있기 때문이다.

ABA는 모든 아이에게 효과적이다. 자폐 여부와 상관없이 ABA로 아이의 기능을 향상할 수 있다. 당연히 자폐 아이에게도 효과가 있다. 효과가 얼마큼 있는지는 개별 아이에 따라 다르다. 로바스 박사의 실험에서는 어린 나이에 시작해 충분히 치료받은 아이들의 47%가 일반 아이 수준에 도달했다. 나머지 아이들도 ABA로 부적절한 행동이 줄고 적절한 행동은 증가했지만, 일반 아이 수준에는 도달하지 못했다.

따라서 앞으로의 연구는 일반 아이 수준에 도달하지 못한 아이들에 맞춰 진행해야 한다. 일반 아이 수준으로 회복된 47%의 비율을 더 끌어올리기 위해 무엇을 해야 하는지 지속적인 연구가 필요하다.

4. 조기집중치료의 중요성

ABA 분야에서는 '자폐 아이가 특정 치료를 일정 기간 집중적으로 받으면 일반 아이 수준에 도달'한다는 구체적인 지표를 보여주는 연구들이 있다. 이 연구들은 아이가 어느 수준에서 치료를 시작해 얼마큼 발전했고, 아이의 기능이 일반 아이 수준에 도달할 때까지 어떤 교육을 받았는지 알려준다. 이 연구들은 주로 응용행동분석, 조기집중행동중재, 비연속 개별시도 교수법(Discrete Trial Teaching)에 기반하고 있다.

응용행동분석에는 환경교수법(Natural Environment Training), 중심축반응훈련(Pivotal Response Training), 언어행동(Verbal

Behavior), 덴버모델(Early Start Denver Model) 같은 교육법들도 있다. 이 교육법들 역시 자폐 아이 교육에 효과가 있다는 연구결과가 있다. 다만 이 연구들은 앞의 연구들과 달리 일정 시간 교육받은 아이 중 몇 퍼센트가 일반 기능에 도달하는지 구체적인 데이터를 제공하지 않는다. 그런 점에서 앞의 연구들은 치료 결과를 예측하는 장점이 있다. 아이에게 기대하는 치료 효과를 얻기 위해 들어가는 시간과 에너지를 측정할 수 있다.

그중에서 조기집중행동중재는 ABA와 관련해 가장 중요한 치료법이다. '조기'라는 용어는 아주 어린 유아를 의미한다. ABA 치료는 가능한 한 어린 나이에 시작하는 것을 목표로 한다. 보통 네 살 이하의 유아가 여기에 해당한다. '집중'은 주당 25~40시간의 치료를 진행하는 것을 의미한다. '행동중재'는 ABA로 아이의 행동을 바꾸고, 비연속 개별시도 교수법을 사용해 특정 기술을 가르치는 것을 말한다. 아이가 ABA 치료를 일찍 시작할수록 치료 효과가 높고 빠르다.

조기집중행동중재는 포괄적인 적용도 가능하다. 조기집중행동중재로 아이에게 필요한 모든 것을 가르칠 수 있다. 가르칠 내용이 무엇인지는 중요하지 않다. 아이에게 놀이 기술뿐만 아니라 아이가 어려워하는 복잡한 기술도 가르칠 수 있다. 조기집중행동중재는 아이가 배워야 하는 모든 것을 다룬다.

습관이 만들어지기 전에 관리한다

나이가 어릴수록 두뇌의 가소성(쉽게 변하는 특성)과 적응력이 높다. 반대로 나이가 들어감에 따라 뇌가 점점 굳어져 행동과 생각을 바꾸기가 어렵다. 이 같은 현상은 문제행동에서도 뚜렷한 대조를 보인다. 유아는 부적절한 행동이 습관으로 굳어진 지 오래되지 않은 상태이므로 문제행동의 강도가 약하다. 그러나 아이가 성장하면서 문제행동이 오랜 습관으로 굳어지면 강도가 훨씬 세진다. 나이대별로 아이들의 행동을 비교해 보면 그 차이를 분명히 알 수 있다.

네 살 아이와 일곱 살 아이의 문제행동을 비교하면 일곱 살 아이가 보이는 문제행동의 다양성, 심각성, 공격성이 더 심하다. 네 살 아이가 보이는 최고의 저항은 기껏해야 도망치는 것이다. 그러나 일곱 살 아이는 꼬집고 할퀴는 등 저항의 강도가 더 세다. 일곱 살 아이와 아홉 살 아이를 비교하면 아홉 살 아이의 문제행동이 훨씬 심하다. 11살, 13살 나이가 많아질수록 그 강도는 점점 더 세진다. 문제행동을 오랜 기간 유지하면 습관으로 굳어져 제거하기도 쉽지 않다. 따라서 아이가 어릴 때 하루라도 빨리 행동 중재에 나서야 한다. 아이가 어릴수록 행동 관리가 쉽고 빠른 치료로 또래와의 격차를 줄일 수 있기 때문이다.

아이가 치료받지 않은 상태로 나이가 든다면 아이의 행동은 점점 더 나빠진다. 또래와의 격차도 갈수록 벌어진다. 치료가 늦어지면 그만큼 회복도 더딜 수밖에 없다.

집중치료는 보통 주 25~40시간 치료하는 것을 의미한다. 조기집중행동중재의 경우 이른 나이에 치료를 시작하는데, 4세 이하의 아이에게 최대 40시간의 치료 제공을 원칙으로 한다. 내가 조기집중행동중재를 소개할 때마다 "세상에나, 주 40시간이라니! 아이가 어떻게 그걸 소화해요."라며 믿을 수 없다는 반응을 보이는 사람이 있다. 조기집중행동중재의 긴 치료 시간은 일반 사람에게 큰 충격으로 다가온다. 솔직히 주 40시간 치료가 쉬운 일은 아니지만, 그렇다고 불가능한 일도 아니다.

로바스 박사의 실험에서도 일주일에 평균 40시간의 치료가 진행되었다. 연구자들에 따르면 40시간을 넘는 주가 있었고 40시간보다 적은 주가 있었지만, 평균적으로 40시간의 치료가 이루어졌다. 또 아이가 치료를 시작한 이후로는 휴식 기간이 없었다. 하루도 쉬지 않고 몇 년간 계속되었다. 아침에 잠에서 깬 순간부터 저녁에 잠들 때까지 매일매일 치료가 진행되었다. 이런 고강도 치료로 아이들은 다양한 기능을 회복했다. 주 40시간의 치료는 자폐 아이가 또래 아이 수준의 기능을 수행하는 능력과 직결된다는 것을 보여주었다. 이 연구로 아이가 배운 행동을 일상생활에서 자연스럽게 실행하는 일반화에 도달하기 위해 주 40시간 치료가 필요하다는 가정이 입증되었다.

여기서 중요한 것은 아이들에게 주 40시간의 치료를 제공한 의도를 이해하는 것이다. 아이가 잠에서 깬 후부터 잠드는 순간까지 치료를 쉬지 않고 계속해야 한다는 의미이다. 이것은 치료에서 굉장히 중요한 요소다. 부모나 치료사는 아이를 치료할 때 항상 이 점을 염두에 두어야 한다.

지정된 시간에만 아이를 가르치고 그 외에는 모두 자유 시간으로 보내도 된다고 생각하면 안 된다. 깨어 있는 모든 순간이 아이에게는 배움의 기회가 된다. 따라서 부모는 일상생활에서 배움의 기회를 포착하고, 그 기회를 활용해 아이를 가르치는 방법을 배워야 한다. 부모가 ABA를 효과적으로 구현하는 방법을 배우는 것은 쉬운 일이 아니다.

그러나 일단 치료를 시작하면 부모가 누리는 삶의 질도 나아진다. 부모뿐만 아니라 자녀를 포함한 가족 모두의 일상생활이 좀 더 편안해질 것이다. 이 과정을 통과하는 데는 제법 긴 시간이 필요하다. 따라서 ABA는 장기적인 발전을 위해 단기적인 희생을 감수하는 치료법이다.

부모가 치료에 참여해야 하는 이유

왜 부모가 치료에 참여해야 할까? 치료사의 치료만으로는 한계가 있기 때문이다. 치료사가 주 40시간 치료를 진행해도 아이가 깨어 있는 모든 시간을 채워줄 수 없다. 치료사가 치료를 끝낸 후에도 계속해서 아이를 가르치기 위해서는 부모가 치료 설계와 프로그램에 참여해야 한다. 정해진 치료 시간만으로는 아이 치료가 성공하기 어렵고, 부모의 참여 없이는 치료 시간 외에 아이를 지원할 수 없다. 부모는 치료사가 없는 시간에도 아이를 도와주면서 치료사 역할을 대신해야 한다. 따라서 부모가 치료에 참여해야 한다는 주장은 아무리 강조해도 지나치지 않다. 아이가 치료받을 때와 치료받지 않을 때의 차이를 느끼지 못할 정도로 집에서 부모가 치료를 계속해야 한다. 부모의 개입이 높을수록 아이의 치료 성공률도 높아진다.

ABA는 집에서 시작한다

모든 연습과 치료는 항상 집에서 먼저 시작해야 한다. 아이에게 새로운 기술을 가르칠 때는 일단 집에서 가르친 다음 공공장소나 야외에서 일반화를 진행한다.

집에서 치료를 시작하는 이유는 집에서는 많은 것을 통제할 수 있기 때문이다. 밖에서는 아이의 행동에 사람들이 어떤 반응을 보일지 몰라 통제가 쉽지 않다. 그뿐만 아니라 예상치 못한 상황을 수시로 직면하게 된다. 이렇게 예측이 어려운 밖의 상황과 달리 집에서는 다른 사람의 눈치를 보지 않아도 된다.

아이의 학습을 촉진하기 위해 환경을 제어할 수 있는 것도 집의 장점이다. 게다가 아이는 많은 시간을 집에서 보내기에 프로그램을 진행할 때 편안함을 느낀다. 집에서 아이에게 가르친 기술은 밖으로도 쉽게 이전된다. 따라서 많은 기술을 집에서 익힌 후 나중에 집 밖에서 사용하도록 기술 이전 및 일반화하는 과정이 훨씬 낫다.

나는 개인적으로 센터 기반의 치료 서비스가 효과적이지 않다고 생각한다. 센터에서 아이가 기술을 배울 수는 있지만, 아이는 센터에서 배운 기술을 집에서는 보여주지 않는다. 센터에서 배운 기술은 센터에서 사용하는 데 익숙하기 때문이다.

아이의 순응이 중요하다

아이의 순응은 행동 개입으로 얻어낼 수 있다. 모두가 알다시피 자폐 아이는 평소에 사람들이 하는 말을 듣지 않는다. 아이가 상대방의 말을 듣지 않으면 아이에게 새로운 내용을 가르쳐 줄 방법이 없다. 따라서 아이가 다른 사람의 말에 순응하도록 하는 게 중요하다. 아이가 말을 안 듣고 배움에 방해되는 다양한 문제행동을 보이면 학습 과정에서 어려움을 겪는다.

이 문제를 해결하려면, 평소에 아이가 적절한 행동을 하도록 장려하는 중재를 사용해야 한다. 그와 동시에 일상에 방해되는 아이의 문제행동을 소거해야 한다. 그 과정에서 벌을 사용할 수도 있다.

2장

ABA 시작하기

1. ABA가 말하는 '행동'의 개념

ABA는 사람이 환경과 상호작용하면서 어떻게 학습하고 성장하는지를 연구하는 행동주의(behaviorism)로부터 시작되었다. ABA를 간단하게 정의하면 '행동의 원리를 이용하여 사람의 행동 변화를 추구하는 과학적 학문'이다. ABA는 기본적으로 행동에 기초한다.

행동이란 무엇인가?

행동은 우리가 일상에서 하는 모든 것을 의미한다. 만약 자녀를 키우는 부모에게 아이가 어떤 행동을 하는지 물으면 웃고, 울고, 투정 부리고, 장난치는 등 여러 가지 행동을 말할 것이다. 이상하게 부모는 아이의 행동을 생각할 때 나쁜 행동이나 부적절한 행동을 먼저 떠올리며, 그런 행동이 바뀌기를 바란다. 그러나 ABA는 사회에서 용인하기 어려운 부정적인 행동뿐만 아니라 아이가 배우고 바꿔야 하는 모든 것을 행동으로 간주한다.

행동은 증가하거나 감소하는 경향이 있다. 물론 변하지 않고 그대로 있거나 사라지기도 한다. 행동이 감소하거나 증가하는 변화가 생겼을 때는 주변의 어떤 환경이 변화에 영향을 주었는지 알아내야 한다. 그래야 행동 변화에 영향을 준 환경 요소들을 제어해 행동을 바람직한 방향으로 바꿀 수 있기 때문이다. 이것이 ABA의 중요한 역할이다.

우리 곁에 늘 있었던 ABA

재미있는 점은 ABA나 행동주의 이론을 몰라도 행동의 원리를 이용해 선한 영향을 끼치는 사람들이 있다는 것이다. 학생들의 행동을 적절하게 통제하고 관리하면서 가르칠 때도 탁월한 능력을 발휘하는 교사가 있다. 일을 시작한 지 얼마 안 되었는데도 아이들을 능숙하게 돌보는 어린이집 교사도 있다. 이들은 ABA를 공부하지 않았지만, 자신도 모르는 사이에 효과적인 ABA 기법을 적용해 아이들을 가르치는 뛰어난 재능의 소유자들이다.

반대로 ABA 이론을 줄줄이 꿰고 있지만, 실제의 행동 관리에는 서툰 사람이 있다. ABA를 아는 만큼 행동을 효율적으로 중재하지 못해 행동 변화에 아무 영향도 주지 못하는 사람이다. 이런 사람은 ABA를 이해하고 있어도 실행하는 것은 무척 어려워한다.

사실 사람들은 ABA 원리를 알든 모르든 무의식적으로 일상생활에서 ABA 원리를 사용한다. 그래서 '나는 ABA 원리를 사용해 본 적이 없어.'라는 주장은 타당하지 않다. ABA 원리는 중력의 원리와 같다. 중력이 보이지 않아도 항상 존재했듯이 ABA의 원리도 늘 존재해왔다. 다만 학자들이 그 원리를 찾아내 ABA라는 이름을 붙인 것뿐이다. 그러므로 ABA에 대해서는 '나는 ABA를 효과적으로 사용해 왔어.'라는 주장과 '나는 ABA를 효과적으로 사용할 줄 몰라.'라는 주장만 가능하다. 그 외의 다른 주장은 성립하지 않는다.

ABA 원리를 활용하는 것은 요리하는 것과 유사하다. 어떤 사람은 조리법을 잘 몰라도 재능과 경험만으로 음식을 맛있게 만든다. 어떤 사람은 조리법을 그대로 따라 했는데도 음식 맛을 제대로 살리지 못한다. ABA도 비슷하다. 어떤 사람은 ABA 이론을 몰라도 ABA 원리대로 아이를 탁월하게 가르치지만 어떤 사람은 ABA 이론을 공부했는데도 아이를 제대로 가르치지 못한다.

2. 사람마다 다른 행동 변화

사람의 행동과 행동 변화는 그 사람을 둘러싼 주변 환경을 배제한 채 이야기할 수 없다. 사람은 자신이 처한 환경에 적응하면서 변한다. 개인과 환경의 교류가 행동에 변화를 가져오는 것이다. 그러나 환경이 행동을 변화시키는 유일한 요소는 아니다. 같은 환경에 놓이더라도 개개인의 타고난 기질과 성향에 따라 각자 다른 행동 변화가 나타난다.

모래알이 뭉쳐진 사암처럼 유한 성격을 가지고 태어난 사람이 있고, 화강암처럼 강한 성격을 가지고 태어난 사람도 있다. 사암과 화강암의 성질은 완전히 다르다. 사암은 조금만 힘을 주어도 부서진다. 화강암을 맨손으로 부수려 하면 힘을 가한 사람만 상처를 입고 화강암은 쉽게 부서지지 않는다. 마찬가지로 유한 성격을 가지고 태어난 아이가 있고, 고집이 센 기질을 가지고 태어난 아이도 있다.

이렇게 태어날 때부터 각자의 성향이 다르기에 두 아이를 한 부모 밑에서 같은 방식으로 양육해도 아이들은 전혀 다른 모습으로 성장한다. 아이들 각자의 동기와 관심사가 다르기 때문에 한 아이에게 나타난 교육 효과가 다른 아이에게는 나타나지 않는 경우가 많다. 언뜻 보면 행동 변화의 원리가 간단해 보이지만, 개개인의 성향과 사고방식, 그리고 주변 상황 등의 요소가 함께 작용하기에 실제로는 꽤 복잡하다. 따라서 행동 변화를 이해할 때는 '사람은 개인마다 다르다'라는 사실을 항상 기억해야 한다.

내면의 동기가 있어야 행동을 바꾼다

사람의 행동 변화를 위해 가장 필요한 것은 무엇일까? 그것은 바로 '동기'다. 사람이 어떤 행동을 할 때는 행동의 이면에 동기가 있다. 부모는 아이가 어떤 행동을 해야 하는 이유를 깨달으면 아이가 행동을 바꿀 것으로 생각한다. 그러나 행동을 해야 하는 이유를 안다고 해서 행동 변화가 일어나는 것은 아니다. 무언가를 해야 한다는 사실을 알아도 아이는 행동을 바꾸지 않는다.

예를 들면, 운동과 채소 위주의 식습관이 건강에 좋다는 사실은 누구나 알고 있다. 하지만 그 사실을 안다고 해서 하루아침에 채식으로 식단을 바꾸는 사람은 없다. 채소가 몸에 좋다는 사실을 안다고 해서 식습관을 바꾸는 사람이 얼마나 될까? 운동이 건강에 좋다는 사실을 안다고 해서 사람들이 규칙적으로 운동을 할까? 내 경험에 비추어 보면 그렇지 않은 것 같다. 채식과 운동의 중요성을 안다고 해서 당장 식습관을 바꾸고 운동을 시작하는 사람은 거의 없다.

그러나 당신이 당뇨병 진단을 받는다면 어떻게 할까? 당신은 살기 위해서라도 식습관을 바꿀 것이다. 당뇨병이라는 몸의 질병이 식습관을 바꾸는 강한 동기부여를 일으키는 것이다. 마음에 드는 이성이 생겼을 때도 비슷하다. 상대에게 잘 보이고 싶은 마음에 탄탄한 몸을 만들려고 즉시 운동을 시작할 것이다. 사람은 단지 무언가를 해야 한다는 당위성 때문에 행동을 바꾸지는 않는다. 자기에게 일어난 특별한 사건의 영향으로 주로 행동의 변화가 나타난다. 동기부여를 하는 환경이 조성되어야 행동의 변화가 시작된다.

그러므로 행동을 파악할 때는 그 행동을 하게 만든 내면의 동기에 주의를 기울여야 한다. 특히 부모가 아이 행동을 바꾸려 할 때 우선 아이 행동의 동기를 알아야 한다. 부모는 대부분 아이 행동을 파악할 때 아이의 행동에만 주목해 오해하는 경우가 많다. 그뿐만 아니라 다른 사람의 말만 듣고 아이 행동을 판단해 오류를 범하기도 한다. 이런 경우 행동 변화를 예측하기가 더 어렵다. 다른 사람의 말보다는 아이의 행동을 직접 관찰해야 행동 밑에 깔린 동기가 무엇인지 알 수 있다. 이렇게 행동의 동기를 알아야 아이의 행동도 개선할 수 있다.

아이의 성장에 한계가 있다는 생각을 버리자

사람은 실제 발생한 사건과 상황을 토대로 행동하기보다 주로 자기 생각과 인식에 기반해 행동한다. 이런 특성 때문에 자기 인식과 비슷한 것을 주장하는 사람에게 쉽게 동조한다. 누군가 자기 의견을 뒷받침하는 내용을 말하면 쉽게 받아들이지만, 반대 의견을 내면 신빙성이 없는 것으로 간주한다. 두 사람이 똑같은 상황에 있어도 개인의 성향에 따라 주변 상황을 다르게 인식하기도 한다. 긍정적인 사람은 주변에서 일어나는 좋은 일에 관심을 기울이지만, 부정적인 사람은 주변에서 발생하는 나쁜 일에 더 관심이 많다.

그렇다면 개인의 인식과 확신이 실제 행동에 어떤 영향을 줄까? 주변 환경의 영향을 받아 형성된 사람의 인식이 실제로는 어떻게 나타날까? '나는 공부를 못하는 학생이야.' 이렇게 생각하는 학생이 있다고 가정해 보자. 그 학생은 매번 시험을 망쳐서 '역시 나는 공부를 못하는 학생이야.'라는 인식에 사로잡혀 있다. 중요한 시험을 앞두고 학생은 또다시 비슷한 생각에 빠져든다. 어차피 시험을 봐도 잘 볼 자신이 없기에 시험공부를 회피할 기회만 호시탐탐 노린다. '이번 시험도 망칠 게 뻔한 데 그냥 친구들이랑 나가서 놀아야겠다.' 이렇게 생각하며 시험 기간에 놀러 다니기 바쁘다. 공부를 안 했으니 시험을 제대로 치를 리가 없다. 시험 결과가 안 좋게 나오자 다시 자기 합리화를 시도한다. '내 이럴 줄 알았다. 어차피 망칠 시험이었는데 그 시간에 공부 안 하고 나가서 노는 게 나았어.' 이런 식으로 자기에게 일어난 일을 자기 인식에 맞춰 해석한다.

사람은 필요한 정보를 찾을 때도 비슷한 태도를 보인다.

인터넷에서 특정 정보를 찾을 때 자기 의견이나 생각에 동의하는 자료를 제공하는 웹페이지를 주로 이용한다. 본인의 생각을 뒷받침하는 웹페이지 정보에는 귀를 기울이지만 동의하지 않는 사이트 정보는 거들떠보지도 않는다. 결과적으로 사람은 항상 자기 생각과 일치하는 정보에 둘러싸여 살아간다. 자기 생각과 반대되는 의견은 최소화하거나 무시한다.

선별적으로 정보를 선택하는 사람은 행동을 이해할 때도 비슷한 성향을 보인다. 자신의 행동에 대해서는 옹호하는 자세를 취한다. 왜 자신이 그렇게 행동할 수밖에 없었고, 실패할 수밖에 없었고, 자신이 처한 상황이 어떠했는지 수많은 이유를 대며 정당화한다. 반대로 타인의 행동에 대해서는 개인이 처한 환경이나 상황을 전혀 고려하지 않는다. 모든 결과를 실행한 개인의 문제로 간주한다. 실패한 결과를 개인의 성향이나 능력 탓으로 돌린다.

자신이 해야 할 업무를 정해진 시간에 마치지 못한 사람이 있다고 해보자. 그는 이런저런 변명으로 둘러댈 것이다. "지난밤에 아이가 아파서 잠을 제대로 못 잤어요." "아침 출근길에 차가 고장 나서 수리하느라 일을 못 했어요." 등등 자기 사정을 앞세워 일하지 못한 이유를 구구절절 설명할 것이다.

이런 사람도 다른 사람이 제때 일을 마치지 못하면 태도가 완전히 달라진다. "저 사람은 천성이 게을러서 그래." 이렇게 말하며 개인의 성향으로 단정한다.

이처럼 사람의 인식은 주어진 상황을 바라보는 대상에 따라 크게 달라진다. 특히 실패와 관련한 태도에서 인식의 차가 더 크다. 본인의 실패를 되짚어 볼 때는 실패를 초래한 주변 상황과 이유를 끝없이 끌어 오지만, 다른 사람의 실수와 행동을 분석할 때는 주변 상황을 고려하지 않고 개인의 타고난 성향에만 집중한다.

과제를 수행할 때 3할의 성공률을 보이는 사람이 있다고 해보자. 열 번 시도해 세 번 성공했으므로 일반적인 기준으로는 실력 없는 사람으로 평가받을 것이다. 그러나 과제를 수행하는 사람이 야구 선수라면 해석이 달라진다. 야구 선수의 타율이 3할이라면 굉장히 뛰어난 선수라는 평가가 따라올 것이다. 오랜 기간 3할대를 유지한다면 명예의 전당에 입성할 실력자로 평가받을 것이다. 따라서 '3할의 성공률이 실패에 가깝다.'라는 결론은 일반적인 인식을 토대로 세운 기준이다. 사건 자체에 맞춰 세운 기준이 아니라 사건 주변 상황에 맞춰 세운 기준이다.

예전에 사람들은 '인간이 1마일을 4분 안에 돌파하는 건 불가능하다.'라고 생각했다. 한 선수가 처음으로 기록을 깨자 그 뒤로는 거의 모든 선수가 불가능하다고 믿었던 기록을 넘어섰다. 전에는 '1마일을 4분 안에 돌파하는 것은 불가능하다.'라는 인식이 모든 선수의 발목을 잡고 있었지만, 한 사람이 한계를 뛰어넘자 곧바로 기록을 깨는 선수들이 쏟아진 것이다.

지금까지 설명한 내용이 행동 및 행동 변화와 무슨 관련이 있는지 의아해하는 사람이 있을 것이다. 내가 하고 싶은 이야기는 실패가 상대적이라는 것이다. 실패는 개인이 정한 기준에 따라 정의되는 것이지 그 자체로는 아무 의미가 없다. 따라서 당신이 누군가의 행동을 바꾸고자 할 때는 '불가능은 없다.'라는 확신이 있어야 한다. 이 확신 없이 행동 변화를 시도하면 최선의 노력을 기울이지 않는다. '이건 아이가 타고난 것이어서 바꿀 수 없어.' '이렇게 노력해도 한계가 있어.' 이런 생각에서 벗어나지 못한다. 행동에 의미 있는 변화가 생기는 과정에서 우리는 다양한 실패를 겪을 수밖에 없다. 이런 실패들은 현재 상황을 더 잘 이해하고 성장하게 만드는 계기가 되어 다음 시도에서 성공률을 높여준다.

당신이 아이의 행동을 바꾸어 삶을 개선하길 원한다면 아이 성장에 한계를 두면 안 된다. 당신이 좋은 치료사가 되길 원한다면 아이를 가르치면서 아이가 배우는 데 한계가 있다는 생각부터 버려야 한다. 아이 발전에 한계를 두는 교사는 가르치기 전에 이미 포기를 선언하는 것과 같다.

당신이 아이를 성공적으로 가르치려면 아이의 인식을 파악해 아이에게 맞는 동기부여를 제공해야 한다. 아이가 세상, 사물, 사람을 어떻게 인식하는지 파악하고, 아이의 동기를 끌어내기 위해 무엇이 필요한지 알아야 한다. 아이의 인식을 파악할 때는 주의할 점이 있다. 다른 사람의 이야기만 듣고 판단해서는 안 된다. 사람들은 항상 진실만을 말하지 않기 때문이다. 사람들이 거짓말을 한다는 뜻이 아니라 자신의 경험을 토대로 상황을 해석해주는 것이 문제다. 따라서 아이의 인식을 제대로 파악하기 위해서는 당신이 직접 아이의 행동을 세밀하게 관찰해야 한다.

행동 변화를 원한다면 먼저 행동을 관찰하라

이제 이런 생각이 들 수 있다. '개인의 타고난 성향과 처한 상황이 다르다면 사람의 행동을 예측하는 게 불가능하지 않을까?' 사람마다 개성, 성격, 주어진 환경이 다르다면 개인의 세세한 부분까지 판단하고 예측하는 것이 어렵게 느껴질 것이다. 그러나 사람의 행동은 이전에 보인 그의 개별적인 행동 패턴으로 충분히 예측할 수 있다. 사람은 평소 입던 옷을 입고 익숙한 말투와 교류 방식을 사용하는 등 일정한 행동 패턴이 있다. 어떤 사람의 행동 패턴을 관찰하면 앞으로 그 사람이 어떤 행동을 취할지 대략적인 추론이 가능하다.

세계 최고의 포커 선수는 단순히 손에 든 카드만 가지고 게임에 임하지 않는다. 상대 선수를 관찰하며 경기한다. 상대 선수 특유의 행동 패턴을 파악하면 상대가 가진 패가 무엇인지 간파할 수 있기 때문이다. '이 사람은 좋은 패를 들고 있을 때 농담을 한다. 나쁜 패를 가지고 있을 때는 말하는 속도가 빨라진다.' 이런 식으로 면밀하게 관찰하며 상대의 패를 읽어낸다.

사기꾼이 사기 칠 때도 비슷하다. 사기꾼은 아무에게나 사기 치지 않는다. 먼저 대상자를 충분히 물색한다. 사람의 몸짓, 표정, 입고 있는 옷 등 다양한 요소를 관찰해 상대방이 얼마나 잘 속아 넘어갈지 판단한다. 여러 사람을 충분히 관찰한 후 가장 손쉬운 먹잇감을 선정해 작업에 들어간다.

사람을 파악하려면 먼저 그 사람을 관찰하면 된다. 사람의 실제 행동을 면밀하게 관찰하면 특정 상황에서 그 사람이 어떤 행동을 취할지 충분히 예측할 수 있다. 마찬가지로 누군가의 행동을 변화시키려면 그 사람이 하는 말보다는 하는 행동을 집중적으로 관찰해야 한다. 이 과정에서 그 사람의 행동을 유발하는 동기를 알 수 있고, 그 사람의 주변 환경을 효율적으로 조정해 행동의 변화를 유도할 수 있다.

궁금해요!

··

질문

동기를 강화하기 위해 지시 내리기 전에 아이가 받을 강화를 미리 알려줘도 될까요? 예를 들면, "이거 하고 나면 네가 좋아하는 과자 줄게"라고 미리 말해줘도 되나요?

답변

지시를 내리면서 "말 잘 들으면 이걸 얻을 수 있어."라고 보상을 제시하는 것이 아이의 동기부여에 도움이 될 것으로 생각하는 부모들이 많습니다. 생각 자체가 틀린 것은 아닙니다. 실제로 많은 ABA 치료 기관에서 이런 방법을 사용합니다. 원하는 결과를 빨리 얻을 수 있는 확실한 방법이기 때문입니다.

당장은 아이가 부모 말을 잘 따르기에 효과적이라 생각하기 쉽습니다. 그러나 즉각적인 효과를 나타내는 방법은 장기적으로 아이 발전에 나쁜 영향을 끼칩니다. 아이에게 부정적인 결과를 가져오게 됩니다. 이제부터 그 이유를 설명하겠습니다.

부모가 아이에게 지시를 내리면서 "말 잘 들으면 초콜릿 줄게."라고 말합니다. 부모의 말을 듣고 아이는 지시를 따랐고 그 대가로 초콜릿을 받았습니다. 이때 아이가 부모의 지시를 따른 이유가 무엇일까요? 단지 초콜릿을 얻기 위해 부모 지시를 따른 것입니다. 이후로 초콜릿은 아이가 부모의 말을 따를 때마다 항상 동기부여로 작용합니다. 아이에게 무언가를 시키려 할 때 초콜릿이 없다면 어떻게 될까요? 아마도 아이는 부모 말을 듣지 않을 것입니다.

또 다른 상황을 가정해 봅시다. 이번에는 아이가 시킨 일을 하고 난 후 말을 잘 들은 행동을 강화하기 위해 초콜릿을 줍니다. 이 경우 아이가 말을 잘 들은 이유는 부모가 아이에게 지시를 내렸기 때문입니다.

이때의 초콜릿은 아이가 부모 말을 잘 들은 행동을 강화하기 위해 사용되었습니다. 아이가 부모의 지시를 따른 동기가 다릅니다. 초콜릿이라는 외적 동기가 아니라 부모 말에 순종하려는 내적 동기로 행동한 것입니다.

부모가 아이에게 지시 내리기 전에 얻게 될 보상을 미리 알려주면 아이의 내적 동기를 끌어낼 수 없습니다. 그 결과 아이는 보상이 있어야만 지시를 따르는 잘못된 태도를 보입니다. 이런 상황이 발행하지 않도록 지시하기 전에 아이에게 보상을 미리 제시하면 안 됩니다.

3. 행동의 기능

외부 세계와 완전히 단절된 공간에 살지 않는다면 아이가 하는 행동에는 반드시 목적이 있다. 아이가 하는 행동의 목적을 파악해 그에 상응하는 보상을 준다면 아이의 행동은 강화된다. 다만 아이가 하는 행동의 목적 혹은 이유를 정확히 파악하기가 어렵다는 것이 문제다.

사람은 자신이 특정 행동을 반복한다는 사실을 자각하지 못하는 경우가 많다. 어떤 행동은 습관으로 굳어져 왜 그 행동을 하는지 이유조차 모를 때도 있다. 막상 그런 행동을 하는 이유를 물으면 그럴듯한 핑계를 대거나 사회적으로 이해할 만한 수준의 답변을 내놓는다. 그렇지만 그의 행동을 자세히 관찰하면 실제 의도와 그의 답변이 일치하지 않는 경우가 많다. 효과적인 행동 중재를 위해서는 행동을 하는 이유와 목적을 정확히 파악해야 한다. 이것을 **행동의 기능(function of a behavior)**이라 부른다. 행동의 기능은 크게 **관심(attention)**, **회피 또는 도피(avoidance, escape)**, **원하는 것 얻기(access to tangibles)**, **감각 자극(sensory stimulation)** 이렇게 4가지로 분류한다.

관심

사람은 사회적 동물로 서로 의존하며 어울려 살아간다. 여러 연구결과가 보여주듯이 사회성은 굉장히 중요하다. 주변의 많은 사람과 건전한 교우 관계를 유지하는 사람은 그렇지 못한 사람보다 행복지수가 더 높다. 좋은 인간관계를 유지하는 사람은 스트레스를 받아도 주변에 돕는 사람들이 많아 힘든 시간을 훨씬 수월하게 이겨낸다.

타인과 단절된 채 살아가는 사람은 정반대 상황에 직면한다. 어떤 사람이 무인도에 고립되어 오랜 시간 홀로 살아간다면 그는 정신적으로 서서히 피폐해질 것이다. 교도소 수감

자에게 내릴 수 있는 가장 큰 형벌은 사람들과 격리해 독방에 가두는 것이다. 사람은 선천적으로 사회적 존재여서 다른 사람의 관심이 필요하고, 관심받고 싶어 하기 때문이다.

관심은 목소리의 크기, 눈 맞추는 시간 등 다양한 형태와 방식으로 나타난다. 관심에는 칭찬, 격려, 토닥임 등의 긍정적인 관심과 야단, 잔소리, 신경질 등의 부정적인 관심이 있다. 말과 표정 외에 신체적 접촉도 하나의 관심이다. 긍정적인 관심은 모든 아이에게 유익하다. 아이들은 모든 종류의 관심을 좋아한다. 긍정적인 관심을 받지 못한다면 부정적인 관심이라도 받으려고 한다. 하지만 부모들은 이렇게 말한다. "부모가 야단치고 소리 지르는 걸 좋아할 아이가 있나요?" 그러나 칭찬받지 못하는 아이는 차라리 호통치고, 소리 지르고, 혼을 내는 부정적인 관심이라도 받고 싶어 한다. 부정적인 관심도 관심이기 때문이다. 이것이 아이를 대할 때 겪는 어려움이다.

아이에게 칭찬으로 "잘했어!"라고 무심한 듯 대충 말하고 돌아서는 것과 아이가 뭔가를 잘못해 "안 돼! 그러지 마!"라고 큰 소리로 반응하는 것을 살펴보자. 두 반응을 저울에 올려놓고 비교해 보면 잘한 일보다 잘못한 일에 더 큰 관심을 보인다는 사실을 알 수 있다. 부모의 태도가 바뀌지 않으면 어떻게 될까? 시간이 지날수록 아이는 점점 더 부정적인 관심을 끄는 쪽으로 행동하게 된다. 부정적인 관심은 쉽게 즉흥적으로 끌어낼 수 있기 때문이다.

칭찬받는 데 익숙한 아이는 부적절한 행동을 거의 하지 않는다. 아이가 원하는 관심을 충분히 받고 있어서 부정적인 관심을 끌어올 이유가 없기 때문이다. 반대로 문제행동이 많은 아이는 어쩌다 올바른 행동을 해도 칭찬받기가 어렵다. 평소 아이를 달래다 지친 부모가 아이의 올바른 행동에도 크게 반응하지 않기 때문이다. 아이가 울고 소리 지르고 성질 낼 때만 부모는 아이에게 달려들어 "안 돼! 하지 마!"라고 소리치며 관심을 쏟아붓는다. 이런 부모의 무의식적인 행동이 아이의 잘못된 행동을 강화한다. 따라서 부모는 자녀의 긍정적 행동에 관심을 주어야 하며 관심을 줄 때는 아주 충분히 주어야 한다.

여기서 반드시 기억해야 할 내용이 있다. 만일 아이가 관심받기 위해 어떤 행동을 해서 원하는 관심을 얻는다면 그것이 좋은 관심이든 부정적 관심이든 아이의 행동은 관심으로 강화된다.

회피 또는 도피

행동의 두 번째 기능은 회피 또는 도피이다. 도피와 회피는 동전의 양면과 같다. 힘든 상황이 올 것을 예상해 처음부터 그 상황을 피하려고 하는 것은 회피다. 이미 힘든 상태에 처해 그 상황에서 빠져나가려고 하는 것은 도피다.

회피와 도피의 차이는 이렇다. 주변의 누군가가 당신을 좋아한다는 걸 눈치챘는데 당신은 상대가 썩 마음에 들지 않는다. 그때 당신은 이런저런 핑계를 대며 상대가 고백하려는 시도를 미리 차단한다. "저는 사내 연애는 안 해요." "제가 최근에 사귀던 사람과 헤어져서 당분간 연애하고 싶지 않아요." 이렇게 온갖 핑계를 대며 상대가 고백할 마음이 들지 않게 하려는 것을 회피라고 한다.

상대가 고백하는 것을 막으려고 회피하는 과정에서 상대가 결국 고백해 버렸다. 상대가 고백하자 난처해진 당신은 어떻게든 그 상황을 벗어나려고 할 것이다. 이것을 도피라고 한다. 회피에 실패해 직면하게 된 심각한 상황에서 벗어나려는 행동이 바로 도피다. 이처럼 회피와 도피는 동전의 양면과 같다. 여기서는 회피와 도피 두 단어를 묶어서 회피라는 단어로 사용하겠다.

아이뿐만 아니라 어른도 원치 않는 상황에 놓이면 도망치려 한다. 이때 곤란한 상황을 능숙하게 피해 가는 사람이 있는가 하면 상황을 피하려는 모습이 무척 어색한 사람도 있다. 여기서 회피를 얼마나 능숙하게 하는지는 중요하지 않다. 일단 곤란한 상황을 회피하는 데 성공하면 다음에도 같은 행동으로 비슷한 상황을 피하려 한다.

예를 들어 부모가 아이에게 장난감을 치우라고 말한다. 아이는 온갖 난리를 치며 부모의 지시를 거부한다. 아이와의 싸움에 지친 부모는 결국 장난감을 치우라는 말을 취소한다. 아이는 장난감 정리를 회피하는 데 성공했으므로 부적절한 행동이 강화된다.

비슷한 예로 엄마가 아이를 씻기려 하자 아이가 도망쳐 숨어버렸다. 아이가 목욕을 몹시 싫어했기 때문이다. 당장 할 일이 있던 엄마는 어쩔 수 없이 목욕시키기는 일을 포기했다. 두세 시간이 지나 급한 일을 마친 엄마가 다시 아이를 데려와 씻겼다. 숨는 행동이 샤워를 몇 시간 미루었기에 아이의 행동은 강화된다.

이처럼 아이의 부적절한 행동이 강화되지 못하도록 회피와 관련한 중요한 원칙이 있다. 일단 지시를 **내리면 아이가**

절대 회피하지 못하게 하라는 것이다. 당신이 아이에게 지시를 내리면 무슨 일이 있어도 아이는 그것을 해야 한다. 편식하는 아이에게 싫어하는 채소를 먹으라고 했다면 아무리 심하게 아이가 거부해도 반드시 채소를 먹여야 한다. 이렇게 회피를 차단함으로써 주요 문제행동에 대처해야 한다. 아이가 지시를 거부해 도망치려 해도 자신의 시도가 성공할 수 없음을 깨닫게 해야 한다.

원하는 것 얻기

세 번째 행동 기능은 원하는 것 얻기이다. 사람이라면 누구나 갖고 싶은 물건을 얻기 위해 다양한 행동을 한다. 만약 한 아이가 다른 아이가 가진 사탕이 탐나서 뺏어 먹었다고 가정해 보자. 아이는 원하던 사탕을 입에 넣는 데 성공했다. 자기가 원하는 목적을 달성한 것이다. 이 경험을 토대로 아이는 다음에도 비슷한 행동을 반복할 가능성이 크다. 자기가 갖고 싶은 것을 다른 사람이 갖고 있으면 또다시 강제로 빼앗을 것이다. 이처럼 아이가 특정 행동으로 자기가 원하던 물건을 손에 넣으면 그 행동은 강화된다.

이럴 때 부모는 어떻게 해야 할까? 부적절한 행동으로 아이가 원하는 물건을 얻으려 할 때 절대로 허락해선 안 된다. 아이가 울거나, 소리 지르거나, 물건을 던지는 나쁜 행동으로 원하는 것을 달라고 해도 절대로 주면 안 된다. 그런 식으로 원하는 물건을 얻으면 아이의 나쁜 행동이 강화되어 같은 행동이 반복된다. 어떤 경우든 부적절한 방법으로는 물건을 얻지 못하게 해야 한다.

감각 자극

마지막 행동 기능은 감각 자극이다. 감각 자극이란 보고, 느끼고, 냄새 맡고, 맛보는 것처럼 감각기관으로 느끼는 모든 자극을 말한다. 우리가 하는 행동 중 좋아하는 행동은 기본적으로 감각 자극에 해당한다. 우리는 영화를 관람하거나 축구 농구 같은 각종 스포츠를 즐기면서 다양한 감각 자극 활동에 참여한다.

보통 사람은 어려서부터 친구들의 응원과 놀림을 받으며 어떤 행동이 사회적으로 적절하고 부적절한지 알아간다. 그렇게 배우면서 다른 사람 앞에서 하면 안 되는 부적절한 자기 자극 행동은 집에 혼자 있을 때만 하거나 스스로 멈춘다. 그러나 자폐 아이는 사회적으로 부적절하다고 판단되는 행동을 인지하지 못하는 경우가 많다. 자폐 아이는 다른 사람이 자기 행동을 어떻게 생각하는지 크게 신경 쓰지 않는다. 자기 행동으로 원하는 것을 얻을 수만 있다면 같은 행동을 더 자주 반복한다. 감각 자극은 행위 자체가 즐거운 것이라 스스로 강화하는 효과도 있다. 감각 자극 행동을 하는 것만으로도 즐거움을 느끼는 것이다.

자폐 아이가 자주 하는 감각 자극 행동은 주로 손을 흔들고, 몸을 앞뒤로 흔들고, 소리 지르는 것이다. 아이는 수시로 이 같은 행동을 반복한다. 부모들이 가장 많이 질문하는 것이 아이의 감각 자극 행동이다. "우리 아이는 대체 왜 손을 흔드는 걸까요?" "왜 아이가 자꾸 이상한 행동을 하나요?" 부모들은 아이 행동이 걱정스러워 자꾸 물어본다. 그러나 행동 전문가들에게 감각 자극은 가장 심각한 문제행동이 아니다. 아이의 자기 자극 행동을 남들이 보면 창피하겠지만, 치료적으로는 전혀 걱정할 필요가 없다.

이제부터 그 이유를 설명하겠다. 보통 사람도 물건이 하나도 없는 방에 혼자 오랫동안 머물면 지루함을 잊기 위해 이상한 행동을 한다. 코로나 때문에 집에서 나오지 못하던 사람들이 심심풀이로 이상한 영상이나 사진을 찍어 SNS에 올리는 것처럼 말이다. 극단적으로 고립된 사람은 따분함을 잊기 위해 별의별 행동을 다 한다. 극단적인 자극으로 재미를 느끼며 지루함을 견디는 것이다.

장난감을 가지고 노는 방법을 모르거나 놀이 기술이 없는 자폐 아이도 마찬가지다. 아이는 무료함을 달래기 위해 혼자서 접시를 돌리거나 손을 터는 이상한 자기 자극 행동을 한다. 만약 아이에게 노는 방법과 놀이 기술을 가르친다면 아이는 조금씩 달라질 것이다. 손을 흔드는 자기 자극 행동 대신 장난감을 가지고 놀거나 영화를 보며 시간을 보낼 것이다. 아이가 다양한 놀이를 즐기게 되면 자기 자극 행동은 점점 감소하거나 사라진다.

강박증이 있는 사람은 불안을 해소하기 위해 평소 자신만의 독특한 행동 패턴을 만들어 사용한다. 자폐 아이도 두려움을 진정시키기 위해 감각 자극을 사용한다. 스트레스를 받거나 불안함을 느낄 때 두려움을 해소하고 마음을 진정하기 위해 자기 자극 행동이 증가하기도 한다. 이 경우에도 아이에게 스스로 진정하는 방법들을 가르치고, 두려워하는 상황에 놓였을 때 둔감하도록 훈련하는 것이 필요하다.

행동의 기능 파악: 같은 행동도 목적에 따라 기능이 다르다

이제 각 행동의 기능들을 구체적인 예를 들어 설명하겠다. 행동은 기능 중심으로 나타나기에 행동 기능의 정의와 원리를 제대로 이해해야 한다.

요리를 예로 들어보자. 집을 방문한 손님에게 당신이 직접 요리를 해주었다. 요리를 대접받은 손님이 "음식이 정말 맛있다!", "정말 최고야!", "다음에 또 먹고 싶다!"라며 극찬을 한다. 요리 덕분에 극찬을 받고 나면 당신은 큰 만족감을 느낄 것이다. 다음에도 칭찬받고 싶은 당신은 다른 손님을 위해 계속해서 요리할 것이다. 여기서 당신이 요리하게 만드는 행동 기능은 사람들이 해주는 칭찬이다.

이번에는 다른 상황을 가정해 보자. 친구들이 피시방에 놀러 가자는데, 당신은 별로 가고 싶지가 않다. 피시방에 가고 싶지 않아 친구들에게 "나는 지금 요리하러 가야 해. 그래서 게임할 시간이 없어."라고 말한다. 요리를 앞세워 피시방에 가는 것을 피하면 요리는 좋은 핑곗거리가 된다. 다음에도 비슷한 상황에 놓이면 그 상황을 벗어나기 위해 요리하러 간다고 핑계를 댈 것이다. 여기서 당신이 요리하는 행동 기능은 회피다.

이번에는 당신이 길을 가다가 우연히 요리 대회 포스터를 보았다고 하자. 행사 내용을 보니 우승에 상당한 상금과 상품이 걸려있었다. 우승 상금과 상품이 탐난 당신은 집에 돌아와서 매일 요리 연습을 했다. 이 경우 상품과 상금을 얻고자 하는 마음이 행동 기능이 된다.

마지막으로 감각 자극을 위해 요리하는 사람도 있다. 이런 사람은 부엌에서 느낄 수 있는 열기, 냄새, 감촉 등이 좋아서 요리한다. 요리하면서 느끼는 감각 자극으로 큰 즐거움을 얻기에 요리를 반복한다. 이 경우에는 감각 자극이 행동 기능이 된다. 이처럼 하나의 행동이 상황에 따라 여러 가지 기능으로 행해지기에 행동 기능을 파악할 때 헷갈릴 수 있다.

이번에는 상대방을 때리는 행동을 예로 들어보자. 아이가 전화 통화를 하느라 바쁜 엄마의 관심을 끌려고 엄마를 때리기 시작한다. 이때 엄마가 통화를 멈추고 "왜 그래?"하고 반응을 보이면 아이는 목적을 이루는 데 성공하게 된다. 앞으로도 엄마의 관심을 받고 싶을 때면 때리는 행동을 할 것이다. 여기서 아이의 때리는 행동 기능은 관심을 얻는 것이다.

이번에는 아이가 놀이터에서 한참 노는데, 엄마가 집에 돌아가자고 했다고 가정해 보자. 집에 돌아가자는 말에 아이는 더 놀고 싶어 엄마를 때리기 시작한다. 아이의 때리는 행동으로 엄마가 집으로 돌아가는 시간을 미룬다면 아이는 행동 목적을 달성하게 된다. 때리는 행동으로 아이는 잠시나마 집으로 돌아가는 상황을 회피하게 된 것이다.

또 다른 경우를 생각해 보자. 고된 일과를 마친 나는 집에 돌아와 아이스크림을 먹으며 쉬려고 했다. 그때 갑자기 아들이 와서 하나 남은 아이스크림을 달라며 나를 막 때린다. 이때 아이스크림을 양보하면 아들의 때리는 행동 기능은 목적을 달성한다. 나를 때리는 행동으로 먹고 싶었던 아이스크림을 획득했기 때문이다.

감각 자극을 위해 때리는 아이도 있다. 아이가 반복적으로 무엇을 때린다면 아주 이상하게 보일 것이다. 그러나 타격감이나 타격음으로 쾌감을 느끼는 아이도 있다. 이런 아이는 때릴 때 느끼는 쾌감을 즐기려고 때리는 행동을 반복한다. 때리는 행위 자체로 아이는 원하는 목적에 도달하는 것이다.

앞의 예들을 보면 '때리는' 행동이 공통으로 등장하지만, 행동의 기능은 각각 다르다는 것을 알 수 있다. 같은 행동이라도 행동 목적이 각각의 상황에 따라 다르기에 행동 기능을 파악하는 것이 어려울 수밖에 없다.

하나의 행동으로 여러 가지 강화를 받기도 한다. 탁월한 요리 솜씨를 발휘해 사람들의 관심을 받거나 원하는 것을 얻을 수도 있다. 요리 하나로 다양한 목적에 도달할 수 있다. 이처럼 요리 행위에 다수의 행동 기능을 동반하지만, 그중에 주된 기능이 있다. 같은 행동이라도 행동의 목적에 따라 주된 행동 기능이 달라진다. 따라서 행동의 목적을 위한 기능을 제대로 인식하지 못하면 의도치 않게 부적절한 행동을 강화하거나 올바른 행동을 강화하지 못하게 된다.

궁금해요!

. . . .

질문

아이의 행동을 수정하려면 먼저 행동 기능을 파악하는 것이 중요하다고 배웠습니다. 그러나 아이가 우는 단순한 행동만으로는 행동 기능을 파악하는 것이 너무 어렵게 느껴집니다. 똑같이 우는 행동인데 문제를 회피하기 위해 우는지, 무언가를 원해서 우는지, 짜증이 나서 우는지 알아내기가 어렵습니다. 행동 기능을 제대로 파악하기 위해서 어떻게 해야 할까요?

답변

부모는 아이의 행동을 파악할 때 전체 상황보다 아이의 개별 행동에 지나치게 신경쓰는 경향이 있습니다. 아이의 행동을 파악할 때는 전체 상황을 파악하는 것이 중요합니다. ABC분석은 전체 상황을 파악하는 데 유용한 도구입니다. 아이의 행동 기능을 알기 위해서는 선행사건(A) - 행동(B) - 결과(C)를 나타내는 ABC 데이터로 파악해야 합니다.

ABC 분석에서는 아이가 우는 행동을 시작하기 전에 일어난 일을(A, 선행사건) 가장 먼저 확인합니다. 그다음에 아이가 울 때 어떤 행동(B)을 하는지 자세히 살핍니다. 아이가 징징대는지, 당신의 눈을 보려 하는지, 다른 행동은 하지 않는지 자세히 관찰합니다. 마지막으로 아이가 우는 행동으로 어떤 결과(C)를 얻었는지 확인합니다.

선행사건을 확인할 때는 아이가 울기 직전에 무슨 일이 일어났는지 살펴봐야 합니다. 아이에게 하기 싫은 과제를 시켰는지, 아이가 싫어하는 상황에 놓였는지 등등을 확인합니다. 아마도 아이는 부모의 지시를 따르기 싫은 상황에서 도피하려고 우는 행동을 보였을 것입니다.

아이가 과자를 달라고 했는데 "안 돼!"라고 말했거나 아이가 보던 스마트폰이나 태블릿을 가져갔을 수도 있습니다. 이때의 행동 기능은 물건 획득입니다. 아이는 자기가 원하는 물건을 얻지 못해 울었을 것입니다.

위의 두 상황이 아니라면, 다음으로 주변 사람이 아이의 행동에 어떻게 반응하는지 살펴봐야 합니다. 아이가 울면 할머니가 다가와 "아이고, 불쌍한 내 새끼! 괜찮아?"라고 하면서 아이를 어르고 달래며 무언가를 줄 수 있습니다. 이 경우 아이의 행동 기능은 주변 사람의 관심입니다.

마지막으로 아이가 문제행동을 보일 때 부모가 분노나 짜증 등의 감정을 드러냈는지 돌아봐야 합니다. 그런 경우라면 아이 앞에서 감정의 동요를 보이지 않도록 해야 합니다. 부모가 감정에 휘둘리는 건 아무 도움이 안 됩니다. 부모가 감정적으로 민감하게 반응하는 모습을 보면 아이의 문제행동이 더 커집니다. 아이는 자기 행동이 부모 감정을 자극한다는 사실을 알면 더 심한 문제행동을 보입니다. 부모가 감정을 드러내지 말아야 아이의 문제행동이 사라질 가능성도 높아집니다.

아이의 행동 기능이 충족되지 않으면 아이의 문제행동은 반드시 소거됩니다. 아이가 원하는 것이 있어서 문제행동을 보일 때 절대로 원하는 걸 주어서는 안 됩니다. 만일 아이가 관심을 위해 문제행동을 보이면 오히려 무시하거나 관심을 최소화해야 합니다. 또 부모가 지시를 내렸을 때는 따르기 싫어도 무조건 따르게 해야 합니다. 이렇게 해야 아이가 더는 문제행동을 보이지 않습니다.

4. 행동 용어

아이의 행동을 이해하고 행동의 기능을 알았다면 이제 아이의 바람직한 행동은 증가시키고 부적절한 행동은 줄이거나 소거해야 한다. 교사가 아이의 행동 변화를 위해 개입하는 것을 **행동 중재**라 한다.

행동 중재를 시작하려면 기본적으로 행동 용어부터 이해해야 한다. 행동 용어를 토대로 행동의 원리를 이해하게 되면 아이 특성에 맞게 응용해 적절한 행동 중재를 시작할 수 있다.

강화와 벌

이제 행동과 관련된 다양한 용어를 설명하겠다. 우선 강화 (reinforcement)와 벌(punishment)을 살펴보자.

학문 용어와 달리 일상에서 사용하는 '강화'라는 용어는 특정 행동을 증가시키려는 의도 및 기대로 하는 행위들을 뜻한다. 강화와 반대 의미로 사용하는 '벌'은 일상생활에서 특정 행동을 없애려는 의도와 기대로 하는 행위들을 가리킨다.

사람들은 어떤 행동을 증가 또는 감소하려는 의도로 강화나 벌을 사용한다. 부모는 아이가 못하던 일을 처음으로 성공하면 "와, 정말 잘했어! 대단해!"라는 칭찬하는 강화를 사용한다. 반대로 아이를 비판하거나 야단칠 때면 "아니야! 네가 한 것은 다 틀렸어!"라고 소리치는 벌을 사용한다.

일상용어로서 '강화'
= 행동을 증가시키려는 의도로 하는 것

일상 용어로서 '벌'
= 행동을 없애려는 의도로 하는 것

그러나 행동 용어로서의 강화와 벌은 일상 용어와는 차이가 있다. 행동 용어로서 '강화'는 의도와 관계없이 어떤 사건으로 행동이 증가하거나 유지되는 환경을 조성하는 것을 의미한다. 의도와 관계없이 어떤 사건으로 행동이 감소하거나 사라진다면 행동 용어로서의 '벌'이 작용한 것이다. ABA에서 강화와 벌을 정의할 때 행동 변화를 가져온 사건이 무슨 의도로 일어난 것인지는 전혀 고려하지 않는다.

　　행동 용어로서 '강화' = 행동이 증가하거나 유지되는 현상
　　행동 용어로서 '벌' = 행동이 감소하거나 사라지는 현상

　　내용의 이해를 돕기 위하여 몇 가지 예를 들어 설명하겠다. 학습지를 찢는 버릇을 가진 아이가 있다. 교사는 벌을 이용해 아이의 버릇을 고치기로 마음먹었다. 아이가 학습지를 찢을 때마다 수업을 중단하고 아이를 서 있게 하는 벌을 주었다. 교사가 벌을 주었지만, 아이가 학습지를 찢는 횟수는 오히려 증가했다. 교사는 아이의 버릇을 고치려는 의도로 벌을 주었으나 결과적으로 행동이 강화되고 말았다. 학습지를 찢는 아이의 행동이 그대로 유지되었을 뿐만 아니라 오히려

증가했으므로 벌이 아니라 강화가 일어난 것이다.

또 다른 예를 들어보겠다. 내가 상대방에게 악수를 청했더니 상대방이 나를 주먹으로 쳤다. 기분이 나빴지만, 나는 계속 악수를 청했다. 상대방은 나의 악수 시도를 막으려고 계속 주먹질을 했다. 그러나 나는 상대방의 폭력에 굴하지 않고 계속 악수를 시도했다. 상대방은 나에게 벌을 주어 행동을 없애려 했으나 나의 행동이 증가했으므로 이 경우에도 강화가 일어난 것이다.

내가 친구의 악수를 받아들이자 친구가 보답으로 아이스크림을 사 주었다고 해보자. 그 후로 친구가 악수를 청할 때마다 나는 악수를 거부했다. 친구는 나와 악수하고 싶은 마음에 계속 아이스크림을 사 주었지만, 나는 끝까지 악수를 거부했다. 결과적으로 친구와 내가 악수하는 행동이 멈추었으므로 여기서 아이스크림을 사 준 것이 벌로 작용했다.

행동과학에서 강화와 벌을 정의할 때는 오로지 결과에만 초점을 맞춘다. 개입으로 행동이 증가한다면 중재는 무조건 강화로 작용한 것이고, 행동이 줄거나 사라지면 중재는 무조건 벌로 작용한 것이다.

강화와 벌을 분류하는 기준은 오직 결과다. 무슨 의도를 가지고 어떻게 개입했는지는 전혀 중요하지 않다. 그렇지만 강화와 벌을 결정하는 것이 오직 결과이며 의도와는 무관하다는 사실을 사람들은 이해하지 못한다. 오히려 결과보다 의도를 더 중시하는 경향이 있다. 그래서 행동이 바뀌기를 바라며 무언가를 하지만, 정작 행동의 변화 여부는 제대로 확인하지 않는다. 더 나아가 행동을 바꾸는 데 전혀 효과가 없는 데도 익숙하거나 적당하다고 생각하는 강화와 벌을 계속해서 사용한다.

어렸을 때 부모님이 내린 벌들을 생각해 보라. 부모님이 당신의 잘못된 버릇을 고치겠다고 매번 내렸던 벌이 있을 것이다. 그 벌이 실제로 당신의 태도를 바꿨는가? 지금도 부모들은 아이가 바뀌기를 바라며 매번 똑같은 강화나 벌을 사용한다. 그러나 아이의 태도가 달라지지 않으면 그 강화와 벌은 효과가 없는 것이다. 이 경우 강화와 벌을 바꿔야 한다.

강화와 강화제

어떤 사건이나 개입으로 행동이 증가하거나 유지되면 '강화'라 부르고, 이런 행동 변화를 가져오게 한 대상과 물건을 '강화제'라고 한다. 마찬가지로 어떤 사건이나 개입으로 행동이 감소하거나 사라지면 '벌'이라 부르고, 이런 변화를 가져온 대상과 물건 모두를 '처벌제'라 한다. 사람들은 강화나 강화제가 불변하고 고정된 것으로 오해한다. 지금 좋아하는 것을 내일, 모레, 한 달 뒤, 몇 년 뒤에도 계속 좋아할 것으로 생각한다. 이 가정은 완전히 잘못된 것이다. 강화는 매 순간 바뀌며 이건 모든 사람에게 해당한다. 강화와 강화제가 행동에 영향을 미치는 정도는 언제 강화를 주는지와 당사자가 처한 상황에 따라 다르다.

강화제는 사람에게 동기부여를 하지만, 상황에 따라 효력이 달라진다. 내가 어떤 사람과 있느냐에 따라 행동이 달라진다. 가족과 있을 때, 친구와 있을 때, 직장 동료와 있을 때 각각의 상황에 따라 행동이 달라진다. 마찬가지로 강화제도 주변 환경과 상황에 따라 효력에 차이가 있다. 사람이 처한 상황과 전후 사정이 동기부여에 영향을 주기 때문이다.

동기부여의 변화를 보여주는 간단한 예를 들어보겠다. 어떤 사람이 당신에게 다가와 무거운 짐을 옮겨달라고 한 상황을 가정해 보자. 이때 당신이라면 상대방의 부탁에 어떻게 반응하겠는가? 당신이 굉장히 힘센 사람이라면 웬만한 짐은 거뜬히 들 수 있으므로 부탁을 들어줄 것이다. 그러나 상대방이 도움을 요청하면서 무례하게 말했다면 당신이 아무리 힘이 세도 부탁을 거절할 것이다. 만일 당신이 허리를 다쳤다면, 그때도 당신은 짐을 들어달라는 부탁을 거절할 것이다. 만일 당신에게 부탁한 사람이 당신의 이상형에 가깝다면 허리 통증이 있어도 주저하지 않고 들어줄 수도 있다.

이 같은 예들은 당사자가 처한 전후 사정에 따라 그 사람의 결정이 얼마나 손쉽게 바뀔 수 있는지 보여준다. 강화제의 효력도 시간이 지남에 따라 바뀐다. 오늘 당신이 즐거워한 것을 내일도 즐거워할 것이라 장담하지 못한다. 그러므로 당신은 아이를 가르칠 때 아이에게 동기부여를 주는 강화제를 늘 파악해야 한다. 현재 아이에게 동기부여를 주는 강화제가 무엇인지 정확히 알아야 한다.

강화를 주는 방식

강화는 배우는 사람이 보여주는 노력에 따라 달라져야 한다. 아이가 오랫동안 배워 온 블록 과제를 마쳤다고 해보자. 오랜 시간 학습한 과제라 아이가 마치기 쉬웠을 테니 이 경우에는 약한 강화를 주어도 괜찮다. 만약 아이가 특정 과제를 지난 시간보다 잘 해냈다면 큰 강화를 주는 것이 좋다. 그러나 평소에 잘하던 과제를 해냈다면 약한 강화를 주는 것이 좋다.

강화는 아이가 과제에 얼마나 노력을 기울이느냐에 따라 달라진다. 아이가 어려운 과제를 할 때도 최선을 다하도록 강화의 세기를 아이가 쏟아붓는 노력의 양에 맞춘다. 아이가 큰 노력을 기울이지 않으면 강화도 아이의 노력에 맞춰 약한 것을 주면 된다. 아이가 어렵거나 처음 시도하는 과제를 수행한다면 난이도에 맞게 최고의 강화를 준다. 이처럼 당신은 피드백과 강화를 아이의 성과에 맞춰 제공해야 한다. 아이가 과제 수행에 최선을 다하거나 과제를 잘 수행할수록(특히 이전에 없던 훌륭한 성과를 만들어 낸다면) 행동을 장려하기 위해 아이가 좋아하는 최고의 강화를 주어야 한다.

소거

소거는 행동 기능에 있어 강화와 정반대되는 과정이다. 행동을 강화하려면 행동 기능에 만족해야 한다. 관심을 원하면 관심을 주고, 도망치고 싶으면 도망치게 하고, 특정 물건을 원한다면 그 물건을 주고, 감각의 자극을 원하면 그것을 느끼게 해주면 강화가 이루어진다.

소거는 강화의 정반대 개념이다. 행동 기능이 충족되지 못해 특정 행동이 사라지는 과정이 소거다. 어떤 행동으로 관심을 받으려 했는데 아무도 관심을 주지 않았다. 그래서 도망치려 했지만, 그것도 뜻대로 되지 않았다. 이처럼 얻고자 한 것을 얻지 못하고 원하는 감각을 경험하지 못하면 행동 기능이 충족되지 않는다. 목적을 달성하기 위해 실행한 행동이 원하는 결과를 가져다주지 않으면 그 행동은 시간이 지날수록 서서히 사라지게 된다. 소거는 강화만큼 중요한 과정으로 이 둘은 동시에 이루어진다.

사람은 자기가 하는 행동으로 원하는 걸 얻어서 강화를 받으면 그 행동을 더 자주 반복한다. 반대로 자기의 행동으로 원하는 관심을 받지 못하거나 원하는 것을 얻지 못하면 행동 기능이 충족되지 않기에 그 행동을 더 이상 하지 않는다. 자신에게 아무 이득도 되지 않는 행동을 하려는 사람은 없기 때문이다.

비유하자면 강화는 마치 잔디밭에 물을 주어 잔디를 싱싱하게 유지하는 것과 같다. 물이 기능을 만족시키는 역할을 해 잔디를 자라게(행동하게) 한다. 반대로 소거는 잔디밭에 물을 주지 않는 것이다. 행동 기능을 만족시키는 자원인 물을 끊어버리는 것이다. 물을 주지 않으면 잔디가 말라 죽어가는 것처럼 기능을 상실한 행동 역시 서서히 소거된다. 행동을 소거하는 과정은 시간이 걸린다. 물을 하루 주지 않는다고 잔디가 바로 메말라 죽지 않듯이 행동도 하루아침에 사라지지 않는다. 행동 목적이 이루어지지 않도록 꾸준히 신경써서 관리해야 원하지 않는 행동들을 소거할 수 있다.

때로는 기능이 충족되지 않도록 열심히 소거를 시도해도 아이의 부적절한 행동이 사라지기는커녕 더 심해지기도 한다. 이때는 당신 몰래 누군가가 잔디에 물을 주고 있는 것은 아닌지 의심해 봐야 한다. 당신의 배우자가 아이를 딱하게 여겨 "아까 벌로 사탕 못 먹었지? 이거라도 먹으렴." 하면서 슬쩍 먹을 것을 찔러 주었을 수 있다. 아니면 이웃 주민이 "당신 잔디밭의 잔디가 말라 보여 내가 물을 주었어요."라고 할 수도 있다. 소거는 모든 사람이 일관성을 가지고 대응해야 좋은 결과가 나타난다. 아이 주변에 있는 사람이 다 같이 물 주는 것을 멈추어야 부적절한 행동이 소거된다. 이 점을 늘 기억해야 한다.

소거가 행동을 서서히 없애는 것이라면 벌과 어떤 차이가 있을까? 소거가 행동 기능이 만족 되지 않아 행동이 감소하는 현상이라면 벌은 행동 기능과 아무 관련이 없다. 행동 기능의 상실로 행동이 감소하면 소거지만, 행동 기능과 무관한 어떤 사건이 행동을 감소시키면 그건 벌이다.

소거폭발

소거폭발(extinction burst)이란 행동을 소거하는 과정에서 초반에 문제행동이 오히려 더 심해지는 현상을 말한다. 오래 전부터 울고 떼써서 자기가 원하는 걸 얻어내는 아이가 있다고 해보자. 아이는 아이스크림 혹은 장난감처럼 먹고 싶거나 갖고 싶은 것이 생기면 무조건 달라고 조른다. 부모가 들어주지 않으면 울면서 원하는 것을 줄 때까지 조른다. 부모는 아이가 울음을 멈추지 않으면 마음이 약해져 아이가 원하는 것을 들어주고 만다. 그 결과 아이는 우는 행동으로 자기가 원하는 것을 얻어내는 데 익숙해진다.

도저히 안 되겠다고 생각한 부모는 아이의 잘못된 행동을 바로잡기 위해 문제행동을 소거할 계획을 세운다. 이렇게 결정한 후부터 아이가 아무리 울어도 절대로 아이스크림을 주지 않는다. 그러자 아이는 "예전에는 내가 울 때마다 아이스크림을 주었는데 이제는 왜 안 주지? 혹시 엄마 아빠가 내가 우는 소리를 못 들었나?"라고 생각해 더 큰 소리로 울기 시작한다. 하지만 목청 높여 울부짖어도 부모가 아이스크림을 주지 않자 아이는 당황한다. '뭐야, 이쯤 되면 주었는데, 이번에는 왜 안 주지? 엄마 아빠가 나한테 신경을 덜 쓰고 있는 거 아냐? 나한테 관심 좀 가지라고! 내가 울고 있는 것 안 보여!' 이렇게 생각하며 더 난리를 친다. 급기야 부모를 때리기까지 한다.

이처럼 아이가 특정 행동으로 원하는 것을 얻어내는 데 익숙해지면 행동 기능이 충족되지 않을 때 행동이 더 심해지는 경향이 있다. 매번 통하던 수법이 어느 순간에 통하지 않으면 아이는 더 크고, 더 길게, 더 심하게 울면서 문제행동을 나타낸다.

그 상황에서 부모의 최악의 선택은 아이에게 아이스크림을 주는 것이다. 그렇게 하면 '아이스크림 얻기'라는 아이의 행동 기능을 만족시켜 아이의 문제행동이 강화되기 때문이다. 더 나아가 이 경험은 아이에게 '다음에 아이스크림을 먹으려면 단지 징징대는 정도가 아니라 더 심하게 울고 엄마 아빠를 때려야지.'라는 학습효과를 가져다준다.

소거폭발을 모르거나 제대로 대응할 줄 모르는 사람은 아이 행동이 갑자기 심해지면 어떻게 대응할지 몰라 당황한다. '내 아이는 나에게 침을 뱉은 적이 없는데, 내가 뭘 잘못하고 있는 것 아냐? 다 그만두고 일단 아이스크림을 줘서 사태를 잠재우자.'라는 식으로 대응해 결국 아이의 행동 관리를 망친다. 사람은 아이의 문제행동이 개선되기 전에 오히려 더 악화된다는 사실을 모른다.

이렇게 행동이 악화되는 현상을 소거폭발이라고 하는데, 특정 행동으로 목적 달성에 익숙한 아이에게서 주로 나타난다. 잘 통하던 수법이 어느 순간 먹히지 않으면서 갑자기 행동 기능을 상실하면 아이는 일시적으로 이전에 보이지 않던 깨물기, 침 뱉기, 달려들어 빼앗기 등의 심한 문제행동을 보인다. 아이의 문제행동을 소거하는 과정에서 흔히 나타나는 현상이다. 현상이 일시적이기에 실제로는 문제행동이 돌이킬 수 없을 정도로 악화되는 것은 아니다.

아이의 문제행동에 대처할 때 최악은 아니지만, 문제행동을 더 오래 유지하게 하는 차악의 대응책도 있다. 아이스크림을 주지 않는다고 아이가 우는 앞의 상황에서 아이스크림은 끝까지 주지 않았다. 그렇지만 우는 아이가 불쌍해 어르고 달래거나 사탕 같은 다른 간식을 주는 식으로 대처하는 것이다. 이 경우 아이를 달래고 위로해주면 당장은 문제행동이 사그라들지만, 궁극적으로 아이의 문제행동은 소거되지 않는다. 당장은 힘든 상황을 모면할 수 있으나 문제행동 소거에는 전혀 도움이 되지 않는다.

문제행동을 성공적으로 소거하려면 부모는 소거폭발을 아이 발전을 위한 하나의 과정으로 받아들여야 한다. 아이가 울면 울게 내버려 두고 절대로 아이스크림을 주거나 울음을 달래려 하지 말아야 한다. 가장 중요한 것은 문제행동의 목적인 아이스크림을 주지 않는 것이지만, 아이를 대체품이나 다른 관심사로 회유하는 것도 최대한 자제해야 한다.

이렇게 생각하는 사람도 있다. '소거는 행동의 기능만 충족되지 않으면 언젠가는 사라지는 현상이라고? 그럼 아이스크림을 안 주는 것만 신경 쓰면 되지 않나? 왜 아이를 달래는 것조차 하지 말라고 하지?'

행동 전문가들이 달래기, 관심주기 같은 대체 행동의 사용을 권하지 않는 이유가 있다. 아이가 보이는 문제행동에 새로운 행동 기능을 추가하고 싶지 않기 때문이다. 부모가 울고불고 때리는 아이를 안고 달래주면 아이는 그 순간 '내가 사람을 때리니까 나한테 엄청 많은 관심을 주네. 다음에 관심받고 싶으면 다시 울고 때려야지.'라는 인식이 생길 수 있다. 아이가 아이스크림 대신 사탕을 받으면 다음에 다른 간식을 얻기 위해 때리는 행위를 반복할 수도 있다. 따라서 아이의 문제행동을 소거하는 과정에서 소거폭발이 나타나도 문제행동에 추가 기능을 부여하는 일이 없어야 한다.

행동 용어에서 '긍정'과 '부정'의 의미

강화와 벌을 언급할 때 '긍정'과 '부정'이라는 용어를 사용한다. 긍정과 부정은 일상생활에서도 자주 사용하는 말이지만, 행동 용어에서는 의미가 달라 다소 헷갈릴 수 있다. 일상에서 긍정은 '좋다'라는 의미로 쓰인다. 평가, 사고, 삶 등의 단어에 긍정이라는 단어가 붙으면 그 자체로 '좋다'는 의미를 부여한다. 일상에서 부정은 주로 '나쁘다'는 의미로 쓰인다. 평가, 사고, 삶 등에 부정이라는 단어를 붙이면 '나쁜'이라는 의미를 부여한다.

긍정, 일상에서 갖는 의미 = 좋은 것
부정, 일상에서 갖는 의미 = 좋지 않은 것 / 나쁜 것

의학계에서 사용하는 긍정과 부정의 의미는 일상에서 사용하는 의미와 다르다. 의학계에서 긍정은 '양성'이라는 의미로 쓰인다. "임신 테스트를 했는데 양성이 나왔어!"라는 말은 '임신했어!'라는 뜻으로 해석한다. 의학계에서 부정은 '음성'이라는 의미로 쓰인다. "코로나 검사가 음성으로 나와서 다행이야!"라고 말을 하면 내 몸에 '코로나 바이러스가 없다'는 의미가 된다.

긍정, 의학계에서 갖는 의미 = 양성 반응을 보이는 것
부정, 의학계에서 갖는 의미 = 음성 반응을 보이는 것

같은 단어라도 어느 분야에서 사용하느냐에 따라 단어의 의미가 달라지기 때문에 용어를 사용할 때 혼동할 수 있다. ABA에서 강화와 벌을 이야기할 때도 헷갈리지 않도록 긍정과 부정이 어떤 의미로 사용되는지 용어에 대한 정확한 이해가 필요하다.

ABA에서 긍정은 주변 환경에 무엇이 추가되었다는 것을 뜻한다. ABA에서 긍정과 부정은 '좋다, 나쁘다' 같은 의미와는 아무 관련이 없다. 긍정은 ABA에서 주변 환경에서 무엇이

더해진 것을 뜻할 뿐이다. 부정은 반대로 주변 환경에서 무엇이 제거된다는 것을 뜻한다. 다시 정리하면 긍정은 '무언가가 추가된다'라는 의미이고, 부정은 '무언가가 제거된다'라는 의미다.

긍정, 행동 용어로서 의미 = 무언가가 추가됨 / +
부정, 행동 용어로서 의미 = 무언가가 제거됨 / –

정적 강화와 부적 강화, 정적 벌과 부적 벌

앞에서 정의한 용어들을 제대로 이해했다면 '정적 강화'와 '부적 강화'도 쉽게 이해할 수 있다. 정적 강화(=긍정, positive)는 무언가가 추가되자 행동이 증가했음을 뜻한다. 부적 강화(=부정, negative)는 무언가가 제거되자 행동이 증가했음을 뜻한다. 부적 강화는 사람들이 가장 이해하기 어려워하는 용어다. 사람들은 부적(=부정)이라는 단어를 보면 '나쁘다'라는 의미를 떠올리기에 부적 강화 역시 안 좋은 현상이나 행동을 없애는 것으로 생각한다. 그러나 여기서 '부적'은 나쁜 뜻으로 사용되지 않고, 단지 무언가가 제거되었다는 뜻이다. 따라서 부적 강화는 무언가가 제거되자 행동이 증가했다는 의

정적 강화 = 주변 환경에 무언가가 추가됨 → 행동 증가

부적 강화 = 주변 환경에서 무언가가 제거됨 → 행동 증가

미로 쓰인다.

'정적 벌'은 무언가가 추가되었다는 정적과 행동의 감소/소거를 뜻하는 벌이 합쳐진 용어다. 따라서 '정적 벌'은 주변 환경에 무언가가 추가되어 행동이 감소하는 것을 의미한다. 비슷하게 '부적 벌'은 무언가가 제거되었다는 부정과 행동 감소/소거를 뜻하는 벌이라는 용어가 합쳐져 주변 환경에 무언가가 제거되어 행동이 감소했다는 것을 의미한다.

정적 벌 = 주변 환경에서 무언가가 추가됨 → 행동 감소

부적 벌 = 주변 환경에서 무언가가 제거됨 → 행동 감소

주변 환경에 무언가가 추가되어 행동이 증가하는 것이 정적 강화, 반대로 주변 환경에 무언가가 추가되어 행동이 감소하는 것은 정적 벌이라고 했다. 여기서 정적은 더해짐으로 행동이 줄어들었음을 뜻한다. 만약 주변 환경에 무언가가 제거된 결과로 행동이 증가하면 부적 강화, 반대로 주변 환경

에 무언가가 제거되어 행동이 감소하면 부적 벌이다. 무언가가 제거되었다는 의미에서 부적이고 행동 감소가 이루어졌으므로 벌이다. 부적 벌은 **반응대가(response cost)**˙라는 용어와 바꿔쓰기도 한다.

무언가가 더해져서 + 행동이 증가 ↑ = (+↑) 정적 강화
무언가가 더해져서 + 행동이 감소 ↓ = (+↓) 정적 벌

무언가가 제거되어 - 행동이 증가 ↑ = (-↑) 부적 강화
무언가가 제거되어 - 행동이 감소 ↓ = (-↓) 부적 벌

정적 강화, 정적 벌, 부적 강화, 부적 벌의 예 1

지금까지 설명한 용어들이 어떻게 사용되는지 예를 들어 보겠다. 내가 많은 사람 앞에서 특정 주제에 대해 발표한다고 해보자. 여기서 행동은 '발표하기'다. 내가 발표를 하자 청중들이 "우와! 멋지다! 최고다!"라며 갈채를 보냈다. 훌륭한 발표 덕분에 청중의 갈채, 칭찬이 주변 환경에 추가되었다. 사람들의 좋은 반응 덕분에 나는 이전보다 발표를 자주 하

˙ 행동을 줄이기 위해 정적 강화를 제거하는 방법이다.

게 되었다. 청중들의 극찬이 더해져 발표하는 행동이 증가했으므로 정적 강화가 발생한 것이다. 청중들의 좋은 반응이 추가되어서 '정적'이고 행동이 증가했으니 '강화'로 보는 것이다.

이번에는 시간을 되돌려 다른 경우를 가정해 보자. 내가 발표를 마치자마자, 청중들이 "우-우-우" 야유하며 "최악이다! 재미없다!"라고 외쳤다. 이번에는 청중들의 비난, 부정, 비판이 더해졌다. 청중들의 반응은 매우 부정적이었지만, 반응이 추가되었으므로 정적이라는 용어가 붙는다. 청중들의 비난에 실망한 나는 그 후로는 발표를 하지 않았다. 행사에 초청받아도 전부 거절했고, 더는 사람들 앞에서 어떤 발표도 하지 않았다. 청중의 비난이 추가되어 발표하는 행동이 사라졌으므로 이 경우에는 '정적 벌'이다.

또 다른 상황을 가정해 보자. 나는 발표 직전에 너무 긴장한 나머지 몸이 떨리고 속이 메스꺼웠다. 처음에는 발표하는 게 힘들었는데, 발표를 진행하면서 서서히 긴장이 풀렸다. 불안감과 긴장감이 제거된 것이다. 발표 초반에 긴장감이 사라진 덕분에 나는 마지막까지 발표를 계속할 수 있었다. 불안감과 긴장감이 제거되었으므로 '부적'이고 발표하는 행동이 계속 진행되었으므로 '부적 강화'다.

마지막으로 부적 벌이다. 내가 발표하는 도중에 청중 한 명이 강의실을 나갔다. 그 후에도 내가 발표를 진행하는 동안 청중들이 점점 빠져나가더니 마지막에는 한 명만 남았다. 좌절한 나는 그 후로 사람들 앞에 서서 발표를 하지 않게 되었다. 이 경우 발표 현장에서 청중들이 빠져나갔으니 '부적'이고 더는 발표를 하지 않아서 '부적 벌'이다.

정적 강화, 정적 벌, 부적 강화, 부적 벌의 예 2

다른 예를 들어보겠다. 내가 설거지를 하자 아내가 "어머, 설거지해 주어서 정말 고마워!"라며 무척 좋아했다. 아내의 기뻐하는 반응이 주변 환경에 추가되었다. 아내의 포옹, 관심, 칭찬이 더해져 내가 설거지를 더 자주 하게 되었다면 '정적 강화'다.

내가 설거지를 했을 때, 아내가 "이게 뭐야, 제대로 안 닦였잖아!"라고 잔소리를 했다. 이 경우에도 잔소리가 추가되었으니 정적이다. 아내의 잔소리 때문에 내가 앞으로 설거지를 안 하게 된다면 벌이 발생한 것이다. 잔소리가 주변 환경에 더해져서 설거지하는 행동이 사라졌으니 '정적 벌'이다.

내가 설거지를 하는 도중에 아내가 간식을 전부 먹어버렸다. 아내가 먹은 간식은 내가 가장 좋아하는 간식이다. 설거지하다 간식을 전부 빼앗긴 나는 이후로 설거지를 하지 않는다. 간식을 빼앗겨 감소가 발생했으니 부적이고, 이후로 설거지를 안 하게 되었으니 벌이다. 무언가가 제거되어 행동이 사라졌으므로 '부적 벌'이다.

평소에 내가 설거지를 안 해서 아내는 불만이 많았다. "왜 설거지를 도와주지 않냐!"라며 매일 잔소리를 쏟아냈다. 잔소리에 시달리다 못해 나는 설거지를 하게 되었고, 이후 아내의 잔소리가 멈추었다. 여기서 제거 대상은 아내의 잔소리다. 잔소리가 사라졌으니 부적이고, 설거지를 자주 하게 되었으니 '부적 강화'다.

조건화

지금까지 설명한 행동 원리들은 우리의 일상을 관찰하거나 실험을 거쳐 도출한 것들이다. 행동 용어는 일상에서 매 순간 일어나는 사건이나 상황을 반영해 기술한다. 강화나 벌은 우리의 일상생활에서 끊임없이 일어나고 있으며, 주변 환경과 어떻게 교류하느냐에 따라 우리의 행동도 달라진다.

아이의 일상에서도 항상 새로운 사건이나 상황이 발생하기에 아이는 깨어 있는 모든 순간에 무언가를 보고 배운다. 그것이 올바른 일이든 아니든 상관없이 아이는 수시로 배우고 있으며 아무 배움도 일어나지 않는 순간은 없다. 우리가 의도적으로 가르치지 않아도 아이는 주변 사람과의 교류만으로도 무언가를 계속해서 배운다.

주변 환경과 교류하면서 무언가를 배운다는 것이 정확히 어떤 뜻일까? 이 의미를 이해하기 위해서는 **조건화 (conditioning)**라는 행동 용어를 알아야 한다.

조건화는 훈련 과정을 통하여 개인의 역량을 증진하는 것을 말한다. 기본적으로 사람이 무언가를 배우는 학습 과정으로 이해할 수 있다. 조건화에는 자발적 행동을 수반하는 조작적 조건화와 반응과 상관없이 결과를 발생하는 고전적 조건화가 있다.

조작적 조건화

조작적 조건화(operant conditioning)는 행동에 따른 결과에서 배우는 것이다. 조작적 조건화는 효과의 법칙(law of effect)을 밑바탕에 두고 있다.

효과의 법칙은 '만족스러운 결과를 가져다주는 행동은 반복될 가능성이 크다.'라는 것이다. 이를 뒤집어 말하면 '불쾌한 결과를 가져다주는 행동은 멈추게 된다.'라고도 말할 수 있다.

조건화 = 배움
작동 조건화 = 행동에 따른 결과에서 배우는 것
효과의 법칙 = 만족스러운 결과를 가져다주는 행동은 반복된다.

태어나서 처음 맛본 음식이 입에 맞으면 이후에 다시 먹을 가능성이 크다. 반대로 처음 맛본 음식이 맛이 없거나 먹고 난 후 배탈이 나면 한동안 같은 음식을 찾지 않을 것이다. 효과의 법칙에 따라 마음에 드는 결과를 얻으면 행동은 반복되고, 결과가 마음에 들지 않으면 행동은 사라진다.

이처럼 작동 조건화는 행동이 가져다주는 결과로 배우는 것을 말한다. 행동이 즐거운 결과를 가져오면 행동이 강화되고, 즐겁지 않은 결과를 가져오면 행동은 사라진다.

여기서 문제가 되는 것은 특정 행동의 결과에는 개인차가 있다는 것이다. 똑같은 경험을 해도 어떤 사람은 즐거움을 느끼지만, 어떤 사람은 즐거움을 느끼지 못하는 감각의 개인차가 있다. '어떤 사람의 쓰레기가 다른 사람에게는 보물이 될 수 있다.'라는 격언은 즐거움의 개인차를 이야기할 때 자주 사용되는 말이다. 어떤 사람에게 상당한 즐거움을 가져다주는 행동이 다른 사람에게는 혐오로 다가올 수 있다. 반대로 어떤 사람에게 혐오스러운 행동이 다른 사람에게는 즐거움을 주기도 한다. 나는 과일 중 '여주'를 좋아한다. 어떻게 요리하든 여주 요리를 보자마자 "와! 정말 맛있겠다!"라는 탄성과 함께 식욕이 솟구친다. 그러나 모든 사람이 나와 같은 반응을 보이지는 않는다. 여주를 처음 먹어보는 사람은 대부분 여주 특유의 맛에 거부감을 느낀다.

감각에는 개인차가 있을 뿐만 아니라 감각의 정도가 순간순간 바뀐다. 특정 행동의 결과가 가져오는 즐거움은 고정되어 있지 않고 경험하는 순간마다 다르다. 같은 음식을 일주일 내내 먹었다면 처음 먹었을 때와 비교해 마지막으로 먹었을 때는 만족도가 확실히 떨어진다. 행동 치료사 중에는 강화와 벌을 고정된 것으로 이해하는 사람이 있다. 아이가 일단 무언가를 좋아하면 영원히 좋아할 것으로 생각한다. 그런 일은 현실에서는 절대 일어나지 않는다. 이것은 아이뿐만 아니라 어른도 마찬가지다.

즐거움의 정도는 '포만감'과 '박탈'이라는 용어로 설명할 수 있다. 포만감은 특정한 무언가에 노출될수록 거기서 느끼는 즐거움이 사라져 가는 것을 의미한다. 배가 부른 상태로 마트에 간다면 마트 안에 있는 먹거리에 관심이 가지 않을 것이다. 이미 음식을 질리도록 먹어서 그 순간에는 다양한 먹을거리를 봐도 구미가 당기지 않는다.

박탈은 포만감의 반대 개념이다. 종일 굶은 채 마트에 갔다고 해보자. 굶주린 배를 잡고 마트에 들어가니 모든 것이 맛있어 보인다. 심지어 평소에 별로 좋아하지 않던 먹거리조차 너무 먹고 싶어진다. 이것을 박탈이라고 한다. 박탈은 특정한 무언가가 결핍될수록 더 원하고 매력적으로 여기는 현상을 일컫는다.

포만감 = 무엇인가에 노출될수록 즐거움은 줄어든다.
박탈 = 무엇인가에 덜 노출될수록 즐거움은 증가한다.

포만감과 박탈의 진행 과정은 사람마다 조금씩 다르므로 다소 복잡하다. 어떤 사람은 마음에 드는 새로운 먹거리를 접하면 몇 주간 아침, 점심, 저녁에 같은 음식만 먹는다. 그러다 일정 기간이 지나면 음식에 질려 더는 먹지 않는다. 앞의 사람과 달리 나는 좋아하는 음식을 다음 식사 때 또 먹으면 바로 질리는 편이다. 마찬가지로 좋아하는 취미 활동도 이틀 이상은 못 한다.

이처럼 어떤 행동이나 대상에 흥미를 느끼는 과정은 사람마다 다르다. 또 흥미 대상에 따라 흥미 과정도 달라질 수 있다. 내가 좋아하는 음식에 대해 보이는 포만감/박탈 과정 및 기간은 다른 사람이 좋아하는 음식에 대해 보이는 포만감/박탈 과정 및 기간과는 상당한 차이가 있다.

이런 이유로 뛰어난 행동 치료사는 아이를 가르칠 때 강화제에 포만감이 발생하는 일을 피하려고 한다. 아이가 특정 강화제에 질려 관심이나 흥미를 잃으면 더는 강화제 역할을 못 하기 때문이다. 따라서 아이를 잘 가르치고 싶다면, 아이의 동기부여를 위해 적용할 수 있는 강화제를 다양하게 준비해 두어야 한다.

다시 강조하지만, 포만감 방지에 가장 필요한 건 **다양화, 다양화, 다양화**이다. 치료 초기에 자폐 아이는 즐길 수 있는 것이 별로 없다. 아이가 맛있게 먹을 수 있는 음식이나 즐길 수 있는 것이 거의 없어서 혼자 내버려 두길 원한다. 아이는 함께 놀아주려는 주변 사람의 접촉과 교류 시도를 거부한다. 이럴 때 아이를 내버려 두기보다는 아이의 좁은 세계를 비집고 들어가야 한다. 그런 다음 새로운 감각을 경험하고 다채로운 놀이를 즐기도록 가르쳐야 한다. 이 과정을 거치고 나면 아이는 더 많은 것을 좋아하고 즐기게 된다.

아이의 활동 영역을 넓혀가기 위해서는 우선 무엇을 좋아하는지, 어떻게 새로운 것을 즐기게 할지 전략을 세워야 한다. 부모가 아이와 교류하면서 간지럽히기, 안아서 들어 올리기 같은 신체적 접촉을 즐기도록 가르쳐야 한다. 그렇게 해서 다양한 즐거움이 생길수록 아이는 점점 더 행복해한다. 이렇게 해서 교사는 아이를 가르칠 때 동기부여로 사용할 강화제를 점점 더 많이 확보하게 된다.

아이가 다양한 상황을 즐기기 위해서는 아이를 다양한 상황에 계속해서 노출해야 한다. 나는 새로운 아이를 맡게 되면 아이를 의자에 앉힌 후 의자를 긴장감 있게 이리저리 기울인다. 처음에는 대다수 아이가 흔들리는 의자 위에서 굉장히 두려워한다. 그러나 아이가 즐길 만한 요소들을 추가해 계속 노출하면 시간이 지날수록 아이는 의자 위에서 흔들림을 즐기게 된다.

고전적 조건화

조건화의 다른 학습 방법은 고전적 조건화(classical conditioning)다. 작동 조건화가 행동의 결과로 배우는 과정이라면 고전적 조건화는 이전에 경험했던 사건과 연관 지어 학습하는 것을 말한다.

특정 음식을 먹다가 체하거나 탈이 난 경험이 있다면 같은 음식의 냄새만 맡아도 속이 메스꺼워진다. 나아가 같은 음식을 다시 먹는다면 몸에서 심한 거부 반응이 나타날 수도 있다. 이런 반응은 이전에 겪었던 경험과 음식 특유의 맛, 향, 냄새, 생김새 등이 연관되어 나타나는 현상이다. 이전의 경험이 조건화되어 나타나는 것이다.

큰 교통사고를 겪은 후에는 운전대만 잡아도 심장이 마구 뛰고, 극도로 긴장하고, 심한 두려움을 느끼게 된다. 이 같은 반응들은 교통사고라는 경험이 조건화되어 차를 운전하는 사람이 겪는 심리적 고통이라는 결과물로 나타난 것이다. 이것을 고전적 조건화라고 한다.

ABA에서는 주로 조작적 조건화가 사용되지만, 나는 고전적 조건화를 통해 아이를 교육하는 유익한 학습법을 발견했다. 바로 비수반적 교수법이다. 비수반적 교수법(Non-Contingent Teaching, NCT)은 아이가 반응하지 않아도 결과를 얻을 수 있도록 설계되었고, 짧은 시간 안에 많은 것을 배울 수 있는 학습법이다. 비수반적 교수법에 대해서는 6장에서 자세히 설명하겠다.

강화와 뇌물의 차이

많은 사람이 강화를 올바르게 사용하는 법을 몰라 뇌물로 사용하는 오류를 범하곤 한다. 강화의 잘못된 사용법의 대표적인 예는 토큰 시스템이다. 토큰 시스템은 아이가 원하는 것을 주겠다고 미리 약속해 아이가 과제를 수행하도록 동기 부여 하는 것이다.

예를 들면, "오늘 과제 끝나고 뭐 먹고 싶니? 고래밥 먹을래, 아니면 새우깡 먹을래?" 이렇게 물은 후 아이가 과제를 마치면 원하는 간식을 제공하는 것이다. 이렇게 아이와 협상을 진행한 후 제공하는 것은 강화가 아니라 뇌물이다.

나는 뇌물에 의존해 아이를 가르치는 것을 '게으른 ABA'라고 부른다. 뇌물을 사용하면 아이의 행동이 빠르게 변화되고, 부모 말을 들을 가능성도 커진다. 아이는 고래밥을 원하기에 시키는 일을 열심히 한다. 그러나 뇌물의 효과는 단기적일 뿐 장기적으로 부모와 아이 모두에게 해가 된다. 아이가 보상 없이는 다른 사람의 말을 듣지 않기 때문이다.

아이는 부모를 기쁘게 해주고 싶은 마음으로(내적 동기) 지시를 따라야 한다. 강화는 아이가 내적 동기로 실행한 행위에 따라오는 부산물이어야 한다. 뇌물은 어떤 행동을 하는 대가로 주어진다는 점에서 강화제와 다르다.

아이가 부모의 요구에 따라 과제를 완료한 후 강화를 받을 경우, 이 강화는 아이가 부모의 말을 듣는 것을 장려한다. 따라서 부모가 시킨 일을 아이가 끝내기 전까지는 강화에 대해 미리 알려주지 말아야 한다. 아이가 부모의 요구를 잘 듣고 최선을 다한 경우에만 강화를 제공해야 한다.

나는 수퍼바이저가 되기 전에 토큰 시스템을 사용하던 아이를 가르친 적이 있다. 한 번은 아이에게 다가가 "숙제할 시간이야!"라고 하자 아이는 "그거 하면 뭐 줄 거예요?"라고 대답했다. 아이는 자신이 하는 모든 일에 대해 물질적인 보상을 받는 데 익숙해져 있었다.

이처럼 토큰 같은 보상 시스템에 오래 노출되면 아이는 외적 동기 없이는 아무것도 하려 하지 않는다. 보상이 주어져야만 행동하려고 한다. 그래서 나는 토큰을 거의 사용하지 않는다.

모든 토큰 시스템이 나쁘다고 말하려는 것이 아니다. 사람들이 토큰 시스템을 남용하는 것을 지적하는 것이다. 토큰을 사용하면 아이가 쉽게 말을 듣고 따르기 때문에 사람들은 자기도 모르게 토큰을 남용하게 된다.

그러나 다시 한번 강조하지만, 보상 제도에 의존하는 방법은 장기적으로 아이에게 부정적인 영향을 미친다.

3장

ABA로 무엇을 가르칠까?

1. 배움에 방해가 되는 문제행동 없애기

훌륭한 교사는 아이의 행동 관리를 능숙하게 한다. 아이가 가진 잠재력을 끌어내고 학습을 극대화하기 위해 배움에 방해되는 행동을 체계적이고 효과적으로 소거한다. 아이의 문제행동이 학습에 가장 큰 방해 요소이기 때문에 특별히 아이의 문제행동을 잘 다룬다. 자폐 아이의 문제행동은 주로 성질부리기, 반항하기, 징징대기, 소리 지르기, 울기, 드러눕기 같은 모습으로 나타난다.

내가 맡은 한 아이는 가끔 아무 반응도 보이지 않았다. 지시를 내렸는데 아이가 못 들은 척하는 것이다. 아이의 반응을 오해한 부모는 청력이 안 좋아 제대로 못 듣는다고 생각했다. 아이를 자세히 살펴보니 트럭 소리나 현관문 밖의 인기척은 곧바로 감지했다. 또 아이스크림이나 과자처럼 아이가 좋아하는 것을 언급할 때도 아이는 반응했다. 부모나 선생님이 내린 지시를 따르고 싶지 않을 때 아이는 마치 아무것도 안 들리는 것처럼 행동한 것이다.

아이가 불순응할 때도 있다. 불순응은 무반응과 달리 말을 듣지 않는 것이다. 과제를 하긴 하는데 틀리게 하거나 자신이 가진 역량을 제대로 활용하지 않는 것을 말한다. 불순응에는 '과제 거부'도 빠지지 않는다. 아이에게 무언가를 하라고 하자 아이가 "싫어! 안 해!"라고 하면서 과제를 거부하는 것이다. 이런 문제행동을 그냥 놔두면 아이는 발전하기 어렵다. 아이 안에 있는 숨은 능력을 끌어내려면 문제행동을 하나하나 대응해 소거해야 한다.

문제행동 중재법 1: 아이로부터 지배권을 뺏어라

내가 만난 가족에게는 한결같이 비슷한 현상이 있었다. 가족 안에서 아이가 왕이나 여왕 노릇을 했다. 부모를 포함해 가족들이 아이에게 너무 많은 통제권을 넘겨준 것이다. 한번은 두 살 된 아기가 가위를 들고 있는 모습이 위험해 보여 아기에게서 가위를 뺏어 오라고 엄마에게 말했다. 내 말을 듣고 아기에게 다가간 엄마는 "아가야, 엄마에게 그 가위 주지 않을래? 가위 주면 안 될까? 제발 이리 주렴." 이렇게 애원하다 결국 실패했다. 그리고 나에게 못 하겠다며 도움을 요청하는 눈짓을 보냈다. 고작 두 살짜리 아기였다. 그래서 나는 단호하게 말했다. "그냥 뺏어 오세요!"

비슷한 상황에서 아이와 불필요한 힘겨루기를 하는 부모가 많다. 단번에 가위를 뺏어서 상황을 일단락 지을 수 있는데 괜히 아이를 어르고 달래느라 의미 없는 교착 상태를 질질 끄는 것이다. 또 '아이가 문제행동을 하면 어쩌지? 아이를 데리고 오늘 여기에 가도 될까? 이걸 해도 괜찮을까?' 이런 염려를 하며 많은 결정을 아이 기분에 맞춰 내린다. 그러다 보니 아이는 사소한 결정 하나까지 자신에게 맞춰지도록 주변 환경을 조종하는 법을 배운다.

부모는 아이의 문제행동이 나오지 않게 하려고 매번 타협한다. 이렇게 문제행동을 피하려다가 결국에는 아이에게 통제권을 통째로 넘겨주는 것이다. 권력을 가진 사람이라면 절대로 자기의 권력을 포기하는 법이 없다. 그것은 당신 아이도 마찬가지다.

아이는 싸움에서 지지 않고선 자신이 가지고 있던 힘을 절대로 넘겨주지 않는다. 따라서 문제행동을 다루거나 지시를 따르게 할 때는 반드시 싸움이 일어난다. 앞 장에서 설명했듯이 행동은 개선되기 전에 오히려 더 악화되는 것처럼 보인다. 아이는 자신이 원하는 대로 하는 것에 익숙해서 어느 날부터 자기 마음대로 하는 것이 통하지 않으면 자기 권력을 되찾기 위해 평소보다 더 심한 행동을 한다.

평소에 울고 소리 지르는 행동으로 원하는 것을 얻는 아이라면 때리거나 도망치는 등의 더 심한 행동을 하며 저항한다. 아이가 더 심한 행동을 보이는 것은 당신의 조치가 행동교정에 효과가 있다는 징후다. 아이는 이렇게 생각한다. '이게 안 먹히네. 그럼 다른 걸 해보자.' 그래도 부모가 자기 요구를 들어주지 않으면 아이는 또 다른 방법을 동원한다. 아이가 모든 수단을 동원해도 부모가 자기 요구에 응하지 않으면 비로소 아이는 고집을 꺾는다. 그때부터 아이는 진정된 모습으로 당신 말을 듣게 된다.

여기서 내가 꼭 해주고 싶은 조언이 있다. **아이의 문제행동을 소거하려면 아이와 싸울 준비를 하라는 것이다.** 싸울 준비를 할 때는 가족이 다 같이 협조해야 한다. 가족 중에 이렇게 생각하는 사람이 있을 수 있다. '내가 이 싸움을 감당할 수 있을까? 싸울 만한 가치가 있기는 한 걸까? 난 이미 지쳤는데 왜 이렇게까지 해야 하나?' 이렇게 생각하면서 아이의 부적절한 행동을 참지 못하고 중도 포기하는 가족이 발생하면 이 시도는 실패할 수밖에 없다.

문제행동 중재법 2: 하루라도 빨리 시작하라

아이는 눈 깜짝할 사이에 성장한다. 우리는 시간적 여유가 충분하다고 생각하지만 실제로는 그렇지 않다. 시간은 물 흐르듯 빠르게 지나가고 당신도 모르는 사이에 아이는 훌쩍 커 있을 것이다. 이렇게 시간이 흐를수록 당신은 늙고 힘도 점점 약해진다.

오늘 당신이 지쳐있다면 내년에는 더 지쳐있을 것이다. 시간이 흐를수록 상황은 점점 더 나빠진다. 오늘 아이의 행동 관리가 어렵다면 해가 바뀔수록 더 어려워진다. 두세 살짜리 아이의 신경질이 아무리 심해도 열다섯 살 된 아이의 신경질과는 비교가 안 된다. 열다섯 살 아이가 내는 신경질은 성인도 감당하기 힘들 만큼 그 정도가 심하다.

나는 생후 18개월에서 19세에 이르는 다양한 아이를 담당해왔다. 다양한 아이를 경험했기에 힘이 세고, 움직임이 빠르고, 덩치까지 큰 청소년의 행동은 어린아이의 행동과 비교할 수 없을 정도로 큰 차이가 있음을 잘 알고 있다. 게다가 문제행동을 강화 받은 기간이 긴 아이일수록 행동을 다루기가 훨씬 힘들다.

두세 살 아이의 문제행동을 없애는 것은 그렇게 어렵지 않지만, 10년 이상 잘못된 행동을 이어온 아이의 문제행동 소거에는 엄청난 시간과 에너지가 필요하다. 따라서 **한시도 미루지 말고 지금 당장 행동 관리를 시작해야 한다.**

한 가지 분명하게 말해주고 싶은 사실이 있다. 내가 담당했던 아이의 가족들은 모두가 아이의 문제행동과 싸우는 일이 충분히 가치 있는 일임을 인정했다. 1~2년 후에 문제행동이 사라진 아이가 생산적인 활동을 하는 모습을 보며 충분히 그럴 만한 가치가 있다고 여겼다.

문제행동 중재법 3: 싸울 힘이 있을 때만 싸워라

문제행동 중재를 처음 시작하는 당신이 배워야 할 중요한 교훈은 전투를 선별해 **싸울 힘이 있을 때만 싸우라**는 것이다. 부모는 매일 바쁜 일과를 보내느라 피곤하고 지쳐서 아이의 문제행동에 맞설 힘이 없을 때가 있다. 싸울 힘이 부족해 아이에게 내린 지시를 완수하게 할 자신이 없으면 그냥 아이가 원하는 걸 들어주는 게 낫다.

당신이 아이의 문제행동에 직면할 때 싸울 것인지 싸움을 피할 것인지 판단해야 한다. 아이가 부적절한 행동을 하는데 당신은 너무 지쳐 아이를 그만두게 할 자신이 없을 때가 있다. 그때는 그만하라는 말을 아예 하지 않는 게 좋다.

아이를 따르게 할 만한 힘이 남지 않은 상태에서 아이의 행동을 말로만 제지하면 역효과만 가져온다. 아이에게 말한 것을 끝까지 관철하지 못하면 당신은 아이의 신뢰를 잃게 된다. 그러면 아이는 당신이 어떤 지시를 내려도 그 말을 가볍게 여긴다. '아, 저건 그냥 항상 하는 말일 뿐이야. 내가 따르지 않아도 문제될 게 없어.'라는 인식이 형성되어 앞으로도 당신 말을 무시할 것이다.

문제행동 중재법 4: 신중하게 교전하라

끝으로 당신이 아이의 행동을 바꾸기 위해서는 항상 **신중하게 대응해야 한다.** 장난감과 책으로 어지른 방을 아이에게 청소시킨다고 가정해 보자. 휴지 하나 치우는 일은 간단하지만, 방을 전부 치우는 것은 아이에게 쉽지 않은 일이다. 이 경우 아이가 청소를 완수하기까지 부모는 길고 힘든 싸움을 치러야 한다.

초반부터 이런 고난도의 일로 아이와 힘든 싸움을 하기보다는 쉬운 싸움부터 시작하라고 권하고 싶다. 방에 있는 물건은 다 치우되 퍼즐이나 책 하나만 남겨 두고 아이가 정리하게 하는 식으로 말이다.

아이가 실행하기 어렵지 않은 쉽고 간단한 과제부터 시작해 보는 것이 좋다. 쉬운 과제부터 시작해 아이가 성공을 거듭할수록 해야 할 일의 양과 난이도를 서서히 올리는 방식으로 진행해야 한다.

보통 자폐 아이가 말을 안 들으면 부모는 크게 문제 삼지 않고 넘어가는 경우가 많다. 이 과정이 반복되면서 아이는 부모 말을 듣지 않아도 된다는 것을 자연스럽게 배운다. 이런 아이를 본격적으로 가르치기 시작했을 때 아이가 순순히 부모 지시를 따를 리가 없다. 그런 기대는 접어야 한다.

아이가 지시를 따를 때까지 부모가 포기하지 않고 긴 싸움을 진행해야만 원하는 결과를 얻는다. 이 싸움은 너무 힘들고 어려운 과정이라 누구라도 포기하고 싶은 생각밖에 안든다. 그러나 아이의 문제행동이 사라지고 나면 충분히 가치 있는 싸움임을 깨달을 것이다.

2. 행동을 바꾸기 위한 행동 중재

아이의 문제행동을 관리하고 대체 행동을 가르치는 것을 행동 중재(Behavior intervention)라고 한다. 아이의 행동을 바꾸기 위한 모든 시도가 행동 중재다. 행동 중재는 크게 강화와 벌/소거의 과정으로 이루어진다. 강화는 행동을 장려하기 위해 사용하고, 벌은 행동을 줄이고 없애기 위해 사용한다.

행동 중재의 개별성

그동안의 연구에 따르면, 가장 효과적인 중재에는 항상 강화와 벌/소거가 포함된다. 한쪽에서 특정 행동을 장려하는 동시에 다른 쪽에서 특정 행동을 막기 때문이다. 강화만 사용하거나 벌만 사용한 중재는 이 둘을 같이 사용한 중재보다 효과적이지 않다는 사실이 연구로 밝혀졌다.

행동 중재 연구는 다양한 범주의 사람과 아이를 포함한 특정 다수의 대상에게 중재를 실험한 후 얻은 방대한 데이터를 토대로 필요한 정보를 도출한다. 그러나 데이터를 가져온 그 집단의 일원을 개인으로 놓고 보면 개별적 차이가 있다. 당신이 아이를 도우려고 중재를 설계하고 있다면 우선 집단이 아닌 개인을 위해 중재를 설계한다는 것을 염두에 두어야 한다. 어떤 사람에게는 벌보다 강화가 더 큰 효과를 가져다주고, 어떤 사람에게는 강화보다 벌이 더 큰 효과를 가져다주기 때문이다. 따라서 강화 50%와 벌 50%의 구성으로 행동 중재를 계획하는 경우는 없다.

예를 들어, '너 정말 잘하고 있어!'라는 칭찬만 들어도 일하는데 의욕이 넘치는 사람이 있다. 그에 반해 위기의식을 느낄 때 최선을 다하는 사람도 있다. 따라서 당신이 아이를 가르치며 자세히 알아가기 전까지는 각각의 아이에게 효과 있는 강화와 벌의 비율을 알기 어렵다. 어떤 아이에게는 강화 80%와 벌 20%가 적합할 수 있고, 어떤 아이에게는 벌 중심의 중재를 이용하는 것이 효과적일 수 있다. 강화에 별로 신경 쓰지 않던 아이가 무언가를 빼앗기면 태도가 달라지는 것처럼 말이다.

내가 가르친 한 아이의 예를 들어보겠다. 우리 팀은* 아이에게 영어 철자법을 가르치고 있었다. 처음에는 아이가 잘했지만, 어느 시점부터 잘하든 못하든 더는 신경 쓰지 않았다. 이 때문에 우리는 아이가 철자 쓰기 과제를 끝까지 수행할 동기부여를 제공할 필요가 있었다. 우리는 아이가 아는 단어를 제대로 쓰면 아이가 좋아하는 트윙키** 하나를 주었다.

그러나 간식을 주는 강화만으로는 아이가 과제를 올바로 수행할 동기부여를 충분히 제공하지 못했다. 우리는 해당 중재에 벌을 가미했다. 아이가 철자를 틀리면 트윙키를 반으로 잘라서 둘 중 하나를 버리고, 또 틀리면 남은 조각을 반으로 잘라 다시 하나를 버렸다. 아이가 철자를 제대로 쓸 때까지 같은 벌을 반복했다. 이 같은 벌은 효과가 없었다. 아이는 작은 트윙키 조각만 먹어도 충분히 만족했다. 트윙키 한 개를

---

* ABA베어스는 아이마다 슈퍼바이저와 치료사 3~4명으로 구성된 팀으로 ABA 치료를 한다.
** 크림이 든 노란색의 달콤한 케이크

다 먹지 못하고 마지막에 남은 작은 조각을 먹는 것으로도 만족감을 느꼈다.

　어쩔 수 없이 우리는 벌 절차를 수정하기로 했다. 이번에는 치료사가 트윙키를 반으로 잘라 절반을 버리는 대신 아이 앞에서 먹도록 했다. 치료사가 간식을 잘라 절반을 먹어버리는 모습을 지켜보던 아이는 치료사의 행동을 아주 싫어했다. 치료사가 간식을 먹는 행동을 아이가 왜 그렇게 싫어했는지 나로서는 이해가 안 갔지만, 아이의 태도를 바꾼 것은 분명했다. 치료사가 간식 조각을 버렸을 때 아이는 아무 반응도 없었지만, 치료사가 트윙키를 먹어버리자 태도가 확 바뀌었다. 치료사가 트윙키를 잘라 먹는 모습을 보자마자 아이는 부랴부랴 단어를 제대로 적어 냈다.

　이처럼 아이를 제대로 알아가기 전까지는 아이에게 효과적인 강화와 벌의 적절한 비율을 알기 어렵다. 또 아이를 알아가는 과정에서만 강화와 벌의 적절한 비율을 찾을 수 있기에 시간이 걸릴 수밖에 없다. 그렇지만 행동 중재에는 강화와 벌/소거 중 어느 한쪽도 빼놓을 수 없다.

적절한 행동 강화

부모가 강화하고 싶은 행동은 어떤 것일까? 당연히 나이에 맞는 적절한 행동, 그중에서도 사회 친화적인 행동이다. 가르치고 싶은 행동은 개인에 따라 다르겠지만, 아이가 일반적으로 배워야 하는 기술이 있다. 대다수의 자폐 아이는 일상생활에 필요한 기술을 갖고 있지 않을 뿐만 아니라 능숙하게 구사할 줄 모른다. 따라서 일일이 기술을 가르쳐야 한다. 여기서는 무엇을 가르쳐야 하는지 대략 소개하고 구체적인 방법은 이 책의 후속편인 《처음 가르치는 ABA》에서 자세히 다루겠다.

의사소통 가르치기

나는 먼저 아이에게 자신이 원하는 것을 요구하는 방법을 가르친다. 자폐 아이는 언어 기능이 발달해도 갖고 싶은 게 있으면 쉽게 소리 지르고, 울고, 때리고, 도망가는 등의 다양한 문제행동으로 의사를 표출한다. 이런 자폐 아이의 성향 때문에 아이가 원하는 것을 얻기 위해 실행할 적절한 방법을 가르쳐야 한다. 아이가 갖고 싶은 게 있을 때 사용하는 아주 기초적인 기술은 해당 물건을 손가락으로 가리키는 것이다.

그래서 나는 아이가 원하는 물건을 손가락으로 가리키는 포인팅(pointing)을 가장 먼저 가르친다.

다음으로 내가 아이에게 가르치는 것은 다른 사람의 질문에 '예, 아니오'로 답하는 것이다. 무발화거나 언어 기능이 많이 부족한 아이에게는 무엇을 원하는지 물어보는 질문에 고개를 끄덕이거나 가로 저어 대답하게 한다. 자폐 아이 대부분은 고개를 끄덕이거나 젓는 방법을 몰라 이것도 가르쳐야 한다. 고개를 끄덕이는 법을 모른다면 아이에게 신체 촉구***를 주어야 한다. 아이가 모방할 줄 안다면 시범(modeling)을 보여주면 된다.

음성 언어가 안 되고, 포인팅과 '예, 아니오' 외에 다른 의사소통 방법이 필요한 아이도 있다. 이런 아이에게는 그림교환의사소통체계(Picture Exchange Communication System, PECS)를 가르쳐 의사소통할 수 있도록 한다. 아이가 갖고 싶은 물건의 그림을 가져와 상대방에게 보여주어 원하는 게 무엇인지 정확히 전달하는 방법이다. 아이가 사과 사진을 가져와 보여주면 사과를 주면 된다.

*** 180~183p. 촉구 부분 확인

비언어적 모방 가르치기

많은 사람이 간과하는 필수 기술이 바로 모방(imitation)이다. 모방은 가장 중요한 기술이다. 아이가 다른 사람을 모방할 줄 안다면 배우는 속도가 빨라진다. 모방 능력이 없다면 배우는 속도도 느릴 수밖에 없다. 모방 기술에는 다른 사람의 행동이나 동작을 따라 하는 비언어적 모방과 말을 따라 하는 언어 모방이 있다. 그중 비언어 모방인 동작 모방은 아이가 꼭 배워야 하는 중요한 기술이다. 구체적인 내용은《처음 가르치는 ABA》에서 자세히 다루겠다.

원하는 것을 얻기 위해 기다리는 법 가르치기

아이를 가르칠 때 가장 힘든 일은 아이가 원하는 것을 곧바로 얻지 못할 때의 반응이다. 아이는 원하는 것을 당장 얻지 못하면 문제행동을 보인다. 내일은 말할 것도 없고 10초 혹은 5초도 못 참겠으니 지금 당장 내놓으라며 난리를 친다. 그러나 보통의 일상생활에서 아이의 이런 요구는 실현 불가능한 경우가 많다. 진료받으러 병원에 가거나 밥 먹으러 식당에 가면 자기 차례가 될 때까지 무조건 기다려야 한다. 자폐 아이도 예외가 아니다. 평범한 일상을 살아가기 위해서는 기다리는 연습이 필요하다. 자폐 아이는 단 1초를 기다리는 것도 어려워한다. 이런 아이를 위해 가장 짧은 시간부터 기다리는 연습을 해야 한다. 처음에는 1초를 기다리게 하고, 성공하면 그때부터 조금씩 기다리는 시간을 늘려나간다. 아이가 기다리는 시간이 길어지면 일상생활에서 겪는 어려움도 점차 감소할 것이다.

두려움을 견디도록 불만 내성 기르기

내가 담당하는 많은 아이는 불만 내성****이 부족해서 각종 두려움, 특정 재질의 옷, 특정 음식, 특정한 환경, 특정한 소리 등을 견디기 어려워한다. 아이가 일상생활에서 수시로 접하는 이런 상황들을 강하게 거부하면 아이는 사회에서 고립될 수밖에 없다. 아이의 불만 내성을 키워 아이가 불편한 상황에 직면할 때마다 과격하게 반응하는 일이 없도록 해야 한다. 아이의 불만 내성을 기르기 위해 둔감화 프로그램을 사용한다.

**** frustration tolerance : 욕구의 좌절이나 불만을 견디어 나아가는 능력

벌과 소거

행동 중재를 설명하면서 지금까지는 주로 강화에 초점을 맞춰왔다. 이제는 벌과 소거의 측면에서 살펴보자. 모든 행동에는 각각의 목적이 있다. 특정 시간 및 장소에서 특정 행동이 나타나는 데에는 그만한 이유가 있다는 뜻이다. 따라서 우리가 소거를 이야기할 때는 항상 행동의 목적이 무엇인지 생각해야 한다. 소거할 때는 행동의 목적이 달성되지 못하도록 늘 신경 써야 한다. 만약 아이가 관심을 얻을 목적으로 문제행동을 보이면 그때 당신은 절대로 아이에게 관심을 주지 말아야 한다. 아이와 눈을 마주치거나 말을 걸거나 야단을 쳐서도 안 되고 무엇보다 소리도 지르면 안 된다.

또 가족 중 누구도 아이가 원하는 물건을 아이에게 주지 말아야 한다. 아이는 똑똑해서 '엄마가 주지 않으면 아빠한테 가서 달라고 해야지.'라고 생각한다. 아빠가 아이 의도를 알아채지 못하고 원하는 물건을 주면 아이의 문제행동은 소거되지 않는다. 아이가 문제행동을 보일 때는 가족 모두가 합심해 아이가 원하는 물건을 주지 말아야 한다. 가족 중 한 명이라도 아이가 원하는 대로 해주면 모든 노력은 실패로 돌아간다.

일석이조 효과를 가져오는 벌 1

: 아이가 싫어하는 음식 중 몸에 좋은 음식을 먹인다

행동 용어에서 설명한 것처럼 벌은 주변에 어떤 사건이 발생함으로써 행동이 감소하거나 사라지는 현상을 말한다. 벌의 종류에는 정적 벌과 부적 벌(반응대가)이 있다.

나는 아이를 가르치면서 한 번에 두 가지 효과를 얻는 방법을 선호한다. 중재로 벌을 사용하더라도 결과적으로 아이를 이롭게 하는 방식으로 계획한다. 내가 가장 선호하는 방법은 아이가 문제행동을 보일 때마다 아이에게 음식을 먹이는 것이다. 아무 음식이나 먹이는 것이 아니라 아이가 싫어하는 음식 중에 건강에 좋은 음식을 먹인다. 대다수의 자폐 아이는 편식이 심해 제한적인 식습관을 가지고 있다. 특정 음식만 먹고 식감을 자극하는 음식은 거부해 영양소를 골고루 섭취하지 못하는 경우가 많다.

아이의 이런 식습관은 가족 전체의 행복에도 영향을 준다. 사람은 즐기는 것이 많고 다양할수록 더 큰 행복을 누리기 때문이다. 나는 먹는 것을 좋아해 낯선 음식을 보면 무조건 도전한다. 세계 어디를 가도 눈앞에 놓인 음식을 기분 좋게 먹을 수 있다. 나와 달리 아주 한정된 음식만 즐겨 먹는 사람도 있다. 이들은 특정 음식만 먹기에 자기가 먹던 음식이 없으면 행복감을 못 느낀다.

나는 자폐 아이의 문제행동 소거를 시도할 때 이 점을 고려해 계획을 세운다. 먼저 아이가 먹기 싫어하는 음식이 무엇인지 묻고, 그중에서 아이 건강을 위해 먹이고 싶은 음식이 있는지 확인한다. 아이가 문제행동을 보일 때 벌로 그 음식을 먹인다. 처음에는 아이가 많이 힘들어하지만, 시간이 흐를수록 조금씩 음식에 익숙해진다. 나중에는 싫어했던 음식도 잘 먹게 된다. 그뿐만 아니라 반항하는 태도가 수그러들면서 문제행동도 점차 사라진다.

일석이조 효과를 가져오는 벌 2
: 아이에게 필요한 운동을 시킨다

자주 사용하는 정적 벌로 조건부 운동(contingent exercise)이 있다. 아이가 문제행동을 보일 때 아이에게 신체 운동을 시키는 것을 말한다. 자폐 아이는 대근육 운동, 소근육 운동, 소근육 조정력에 어려움이 있다. 이렇게 부족한 운동 기능도 벌을 이용해 끌어올릴 수 있다. 나는 아이를 가르치기 전에 아이의 부족한 운동 능력도 미리 확인한다. 이후에 아이가 문제행동을 보이면 벌로 부족한 근력을 보완하는 운동을 시킨다.

아이에게 운동을 시키는 것은 아이가 싫어하는 음식을 먹일 때와 비슷한 방식으로 진행한다. 운동 효과도 음식과 비슷하게 나타난다. 운동이라는 벌로 아이의 문제행동은 줄어드는 동시에 아이의 조정력, 힘, 근육의 기능은 서서히 증가한다.

과잉교정: 문제행동이 일어나면 반복해서 연습한다

내가 사용하는 정적 벌에는 과잉교정(overcorrection)도 있다. 과잉교정이란 문제행동이 발생했을 때 아이가 과제에 정반응을 하도록 계속 연습하는 것을 말한다.

예를 들어, '이리와' 프로그램 진행을 하며 아이에게 "이리 와!"하고 지시를 내린다고 해보자. 아이는 '이리 와'라는 지시를 이미 잘 따르고 있었다. 그러나 어느 순간부터 아이가 '이리 와'라는 말에 아주 천천히 오다가 아예 지시를 듣지 않는 경우가 생긴다.

그때 내가 사용하는 방법이 과잉교정이다. 아이가 정반응을 보이는 횟수를 세서 열 번의 정반응을 보일 때까지 계속 연습하도록 한다. 열 번의 정반응을 보일 때 행동을 멈춘다.

과잉교정은 아이로 하여금 오반응한 행동의 결과를 주어 더 나은 선택, 즉 '이리 와'라는 지시에 대한 정반응을 하도록 한다.

진정하기 의자

아이가 문제행동을 보일 때 진정하기 의자(calm-down chair)를 사용하는 것은 내가 가장 좋아하는 중재 방법이다. 아이가 울거나 소리 지를 때 아이를 의자에 앉혀 진정될 때까지 두는 것이다.

시간이 아무리 오래 걸려도 울고 소리 지르는 것을 멈출 때까지 아이는 의자에서 벗어날 수 없다. 아이가 의자에 앉아서는 울거나 소리 질러도 괜찮다. 다만 울음을 그쳐야만 아이는 의자에서 일어날 수 있다.

이것은 감정을 스스로 조절하지 못하고 절제하지 못하는 아이에게 감정 조절을 가르치는 것이다. 아이는 진정하기 의자 프로그램을 통해 스스로 울음을 진정하고 빨리 그치는 법을 배울 것이다.

회피 소거

회피 소거(escape extinction)로 문제행동을 중재할 수도 있다. 소거란 아이의 행동 기능이 충족되지 않는 과정이다. 아이가 문제행동을 하는 이유는 당신이 내린 지시를 따르는 게 싫거나 과제가 하기 싫어서다. 그래도 당신은 아이가 반드시 지시를 따르거나 과제를 수행하도록 해야 한다.

만약 아이에게 손을 씻으라고 지시했다면 아이는 무조건 손을 씻어야 한다. 가서 숙제하라고 하면 아이는 곧바로 숙제하러 가야 한다. 아이에게 어떤 지시를 내리든 아이가 지시를 따르도록 해야 한다. 아이에게 손을 씻으라고 했는데 도망치려 한다면 아이가 도망치지 못하게 막아야 한다. 당신을 때리고 발로 차고 침을 뱉어도 반드시 손을 씻게 한다. 아이가 어떤 행동을 보이든 손을 씻게 하면 결국 아이는 당신의 지시를 따를 것이다.

여기서 명심할 사항이 있다. 소거가 이루어지려면 아이의 행동 목적이 달성되지 않도록 해야 한다. 아이가 당신을 때리거나 침을 뱉고, 발로 차거나 도망치려 해도 아무 소용 없음을 배워야 한다. 아무리 발버둥 쳐도 지시나 과제로부터 도망칠 수 없다는 사실을 깨닫고 나면 그때부터 아이의 문제행동은 사라진다.

반대의 예를 들어보겠다. 과자를 먹고 싶다며 울고불고 온 갖 난리 치는 아이가 있다고 해보자. 아이 부모는 곧 저녁 식사를 해야 한다는 이유로 과자를 주지 않았다. 그러자 아이는 비명을 지르며 발악을 시작한다. 그래도 부모가 과자를 주지 않자 아이는 과자를 빼앗으려 달려드는 등 갈수록 행동이 심해진다. 일정한 시간이 지나도 아이가 행동을 멈추지 않자 견디다 못한 부모는 과자를 준다. 아이는 원하는 과자를 얻자 곧바로 얌전해진다.

이 일로 아이는 무엇을 배울까? 우선 아이는 '부모의 말을 진지하게 받아들이지 않아도 된다.'라는 잘못된 생각을 갖게 된다. 부모는 처음에만 안 된다고 할 뿐 나중에는 자기가 원하는 것을 주게 된다고 믿는다.

둘째로 아이는 자신이 부모를 지치게 할 수 있다는 사실을 배운다. 앞의 상황에서 아이가 원하는 것을 얻기 위해 대략 20분 정도의 문제행동을 유지했다고 해보자. 아이는 이 경험으로 원하는 것이 생기면 적어도 20분은 울고불고 소리 질러야 부모가 항복한다는 사실을 알게 된다.

반대로 부모는 이 일을 돌아보며 자신이 실수했음을 뒤늦게 깨닫는다. 다음에 똑같은 상황이 벌어지면 그때는 절대 아이에게 과자를 주지 않겠다며 마음을 다잡는다. 예상한 대로 며칠 뒤 같은 상황이 발생한다. 아이는 과자를 달라고 떼를 쓰고 부모는 이번만큼은 절대 지지 않겠다 결심하고 버틴다. 하지만 아이의 문제행동이 20분, 30분, 40분 계속 이어지자 부모는 참지 못하고 또다시 아이가 원하는 과자를 주고 만다. 반복 학습으로 아이는 자기가 부모를 지치게 할 수 있다는 사실을 새롭게 깨닫는다.

이 과정을 거치면서 아이는 기존의 지식에 새로운 지식을 더한다. 자신이 진짜 원하는 것을 얻으려면 최소 40분은 울고 떼쓰는 난동을 부려야 한다는 사실을 말이다. 거기에 침 뱉는 새로운 문제행동까지 더해진다면 목적을 더 빨리 달성할 수 있을 것으로 생각한다. 결과적으로 부모는 의도치 않게 아이가 부적절한 행동을 유지할 고집과 체력을 기르도록 도움을 준 셈이다. 이 패턴이 반복될수록 아이는 부모를 지치게 만드는 데 계속해서 성공할 것이다.

여기서 깨달아야 할 중요한 사실은 부모가 아이에게 지시를 내리면 아이는 무슨 일이 있어도 그 지시를 따르게 해야 한다는 것이다. 아무리 힘들고 어려운 상황이라도, 머리카락을 쥐어뜯을 만큼 짜증이 나도, 아이가 온갖 난리를 쳐도 한 번 내린 지시를 부모는 끝까지 밀고 나가야 한다. 이렇게 하는 것을 **완수(follow through)**라고 한다. 당신이 아이에게 내린 지시를 아이가 효과적으로 완수하도록 이끄는 방법을 부모라면 반드시 알아야 한다.

3. 벌을 사용할 때 주의할 점

벌을 사용할 때 부모가 자주 하는 실수들이 있다. 벌은 잘못 사용하면 역효과를 가져온다. 그래서 벌을 사용할 때는 아이가 나타낼 반응을 충분히 고려해 치밀한 계획을 세운 후에 사용해야 한다. 여기서는 벌을 사용할 때 부모가 자주 범하는 실수를 소개하겠다. 부모가 실수만 하지 않아도 행동 중재는 상당히 좋은 성과를 얻게 될 것이다.

화난 상태에서 벌을 내리지 마라

여러 연구결과가 보여주듯이 벌을 내리는 사람이 벌을 오용하거나 남용하면 부정적인 결과를 가져온다. 부모가 가장 흔히 하는 실수는 화가 나거나 감정이 폭발한 상황에서 벌을 내리는 것이다. 아이가 당신을 화나게 하는 순간 벌을 사용하는 것은 너무나 잘못된 대응이다. 벌은 특정한 문제행동이 나타났을 때를 대비해 사전에 준비되어야 한다. 벌은 철저히 계산해서 계획적이고 일관되게 사용해야 한다.

또 아이에게 '절대' 같은 극단적인 단어가 포함된 말은 사용하면 안 된다. 만약 당신이 "이 공원에 다시 안 올 거야!"라는 말을 한다면 거짓말일 가능성이 크다. 일반적으로 사람은 지키지 못할 말을 과장해 말하곤 한다. 행동 중재로 벌을 사용할 때 이런 극단적인 말은 하지 않아야 한다. 아이를 정확히 파악한 후 문제행동이 나올 때 어떤 벌을 적용할지 충분히 계산하고 판단해서 현명하게 실행해야 한다.

말로만 위협하는 것을 멈춰라

부모가 자주 범하는 또 다른 실수는 단지 말로만 위협하는 것이다. 실제로는 실행할 자신도 없으면서 말로만 으름장을 놓는 경우가 많다. 이것 역시 삼가야 한다. 큰돈을 들여 멀리 있는 놀이동산으로 가족 여행을 떠났다고 해보자. 여행지에서 아이가 문제를 일으키면 부모는 "너 말 안 들으면 당장 집으로 돌아갈 거야!"라며 엄포를 놓는다. 이 경우 부모는 실현할 마음도 없으면서 아이를 겁주기 위해 말로만 엄포를 늘어놓는 것이다.

부모가 엄포를 놓았음에도 아이가 계속해서 말을 안 듣는다면 아무리 비싼 돈을 들여 떠난 가족 여행이라도 부모는 자신들이 내뱉은 말을 지켜야 한다. 여행을 취소하거나 그보다 더한 대가를 치르는 한이 있더라도 한 번 내뱉은 경고는 반드시 실행해야 한다. 실현 불가능하거나 실현하기 힘든 위협은 애초부터 하지 말고, 한 번 내뱉은 경고는 어떤 고통이 따르더라도 반드시 실행해야 한다.

너무 많은 기회를 주지 마라

다음으로 부모가 자주 범하는 실수는 아이에게 기회를 너무 많이 주는 것이다. 부모는 아이가 제발 해냈으면 하는 마음과 벌주기 미안한 마음에 자꾸만 아이에게 기회를 준다.

부모가 아이에게 기회를 반복해서 주다 보면 아이가 결국 부모 말을 따를 수는 있다. "엄마 말 안 듣기만 해봐! 하지 말랬지! 자꾸 그러면 핸드폰 뺏는다. 이번이 마지막이야. 한 번

더하면 정말 혼날 줄 알아!" 벌을 주기 싫어서 이런 식으로 경고만 반복하면 아이는 부모 말을 중요하게 여기지 않는다.

'내가 왜 엄마 아빠 말을 들어야 해? 뭐라 하든 그저 말뿐인데.'라고 생각하기 때문이다. '딱 한 번만 더'라고 했다면 남은 기회는 한 번뿐이어야 한다. '5분만 더'라고 했다면 정말 5분만 주어야지 그 이상의 시간을 허락해서는 안 된다. '이번이 마지막이야'라고 경고했다면 경고한 대로 더 이상의 기회를 주면 안 된다.

부모가 어떤 상황에서 아이에게 제한을 둔다면 아이는 부모의 뜻에 따르는 법을 배워야 한다. 보통 부모가 제한은 잘하는데, 그 제한을 실천하는 건 망설인다. 한 번만 더 시도해 보자고 말하고도 아이가 마지막 시도에 성공하지 못하면 다시 기회를 주곤 한다. 그러나 추가적인 기회를 주면 안 된다. 놀이터에서 딱 5분만 놀고 집에 가겠다고 한 경우 반드시 그 시간을 지켜야 한다. 5분이 지나면 아이가 아무리 난리 쳐도 집으로 데려가야 한다.

벌에 벌을 추가하지 마라

: 벌이 더해질수록 아이의 저항도 강해지는 악순환이 반복된다

부모가 범하는 또 다른 실수는 벌에 벌을 추가하는 것이다. 아이가 친구를 때려 태블릿PC를 압수하는 벌을 내렸다고 해보자. 태블릿PC를 빼앗긴 아이는 화가 나서 침을 뱉거나 물건을 집어 던지는 등 또 다른 문제행동을 할 수 있다. 이때 아이가 다른 문제행동을 해도 벌을 추가하면 안 된다.

벌은 하나만 주어야 한다. 벌을 준 후에는 아이가 추가적인 문제행동을 일으켜도 벌을 추가해서는 안 된다. 처음 내린 벌을 끝까지 유지해야 한다. 뒤따라 나오는 문제행동은 아이가 벌을 받아서 보이는 반응이기 때문이다.

아이에게 벌을 추가하면 문제행동과 벌이 끊임없이 반복된다. 벌을 받은 아이의 문제행동으로 벌을 추가하고, 추가된 벌로 인해 다시 아이는 문제행동을 일으키고, 그로 인해 또다시 벌을 추가하는 악순환이 반복된다. 이렇게 되면 아이는 받은 벌들을 다 이행할 수 없다. 그렇다면 차라리 심하게 반항해 모든 벌을 무산시키려 할 것이다.

위험한 문제행동에는 처음부터 강한 벌을 사용하라

위험한 문제행동을 약한 벌로 잡으려 하는 시도도 부모가 자주 하는 실수다. 부모는 벌의 강도를 약하게 시작해서 효과가 줄어들면 벌의 강도를 점점 높인다. 벌이 처음부터 약하게 사용되면 아이는 약한 벌에 금방 적응한다. 약한 벌을 견딜 수 있게 되면 부모는 벌의 강도를 조금 더 올리고, 새로운 벌에 적응하면 또다시 강도를 올린다.

이렇게 해서 갈수록 벌의 강도가 높아지면 나중에는 강도 높은 벌을 사용해야 아이의 문제행동 중재가 가능하다. 약한 벌로는 아이의 문제행동을 바꾸지 못한다. 따라서 약한 벌에서 벌의 강도를 점차 높여가기보다는 처음부터 벌을 강하게 주는 게 낫다. 특히 위험한 문제행동일 경우 약한 벌에서 시작해서 서서히 강도를 늘리기보다는 처음부터 아이의 태도를 바꾸게 할 정도의 강한 벌로 문제행동을 소거해야 한다.

일관성 있게 벌을 사용하라

ABA 치료를 어느 정도 성공적으로 진행한 부모에게서 흔히 나타나는 실수가 있다. 부모가 치료를 꾸준히 진행하고 올바른 중재를 하면 아이의 문제행동은 상당히 줄어든다. 이 단계에 접어든 부모는 예외 없이 아이의 문제행동이 다시 증가하는 문제에 직면한다. 이런 현상이 생기는 원인을 알기 위해서는 한 가지 사실을 확인할 필요가 있다. 부모가 행동 중재를 꾸준히 유지하고 있는지를 따져봐야 한다. 행동 중재를 멈추면 문제행동이 다시 증가하기 때문이다.

아이가 다른 사람을 때리면 부모는 사전에 계획한 벌(태블릿 압수, 숙제 늘리기 등)을 초반에는 꾸준히 이행한다. 부모가 일관성을 가지고 꾸준히 개입하면 아이의 문제행동은 사라진다. 부모는 그렇게 해서 아이의 문제행동이 사라진 줄 알았다. 그러나 시간이 흐른 후 사라졌던 아이의 문제행동이 다시 나타난다. 이때 원칙대로 벌을 이행해야 하지만, 마음이 약한 부모는 안타까운 마음에 아이의 문제행동을 그냥 넘긴다.

이처럼 아이의 부적절한 행동이 다시 나타났을 때 부모가 적극적으로 개입하지 않고 강화를 주면 사라진 문제행동이 다시 나타나게 된다. 부모의 방관으로 아이의 행동이 퇴보하지 않도록 주의해야 한다. 오랫동안 문제행동 개선에 효과적이었던 개입을 단지 죄책감이나 안타까운 마음에 포기해서는 안 된다. 힘들지만 끝까지 밀고 나가야 한다.

4. 그 밖에 부모가 자주 하는 실수

나는 아이가 깨어 있는 모든 순간이 배움의 기회가 된다는
점을 강조해 왔다. 부모 눈에 아이가 아무 생각 없는 것처럼
보이는 순간에도 배움은 계속 이루어지고 있다. 아이는 매
순간 옳고 그른 것을 알아가고 있다. 아무런 배움도 일어나
지 않는 순간은 없다. 아이의 배움이 수시로 일어나기에 부
모는 항상 주의해야 한다. 부모가 무심코 한 행동이 아이의
잘못된 행동을 촉진하고 올바른 행동을 무시하는 결과를 낳
을 수 있기 때문이다.

부정적 행동에 관심 주기

업무가 쌓여있는 날 내가 컴퓨터를 붙잡고 정신없이 일하고 있다고 가정해 보자. 바쁘게 일하고 있을 때 아들이 다가와 예의 바르게 내 어깨를 툭툭 치며 나를 불렀다. 나는 빨리 일을 끝내고 싶어 일에 집중하느라 아무 반응도 보이지 않았다. 그러자 아들은 내 어깨를 치며 반복해서 부른다. 내가 계속해서 반응하지 않자 아들은 참다못해 "아빠!"하고 소리친다. 그제야 나는 "왜!"하고 대답한다.

여기서 나의 실수는 차분하게 내 어깨를 쳐서 주의를 끌려는 아들의 정중한 행동을 의도치 않게 무시한 것이다. 부모는 아이가 올바른 행동을 보일 때는 무시하다가 부적절하게 행동하고 나서야 관심을 줄 때가 많다. 부모의 이런 태도가 아이의 바람직하지 않은 행동을 부추기는 결과를 가져온다.

부모의 의도와 상관없이 아이는 부모와 상호작용하며 배운다. 따라서 부모는 아이와 상호작용을 할 때 자신이 아이에게 무엇을 가르치는지, 올바른 행동을 가르치는지, 아이가 올바른 행동을 했을 때 충분히 관심을 주는지 종합적으로 살펴야 한다. 많은 부모가 아이의 올바른 행동에는 반응하지 않다가 올바르지 않은 행동에 더 많은 관심과 에너지를 쏟는다. 긍정적인 관심보다는 부정적인 관심에 더 반응하는 것이다. 그 결과 아이는 부적절한 행동에 의존하는 잘못된 습관을 형성한다.

아이에게 과도한 도움 주기

아이를 위해 너무 많은 것을 해주는 것도 부모가 자주 범하는 실수다. 자신의 아이를 세밀하게 돌보려는 태도는 모든 부모의 공통점이다. 아이를 아끼고 사랑하기에 아무리 많은 것을 해주어도 부족하다고 느끼는 것이 부모 마음이다. 그 마음은 충분히 이해하나 정도가 지나치면 오히려 아이를 망치게 된다.

부모 중에는 아이가 배고픔을 느끼기도 전에 음식을 만들어 주고, 아이가 추위를 느끼기도 전에 옷을 입혀 주는 경우가 많다. 이런 극진한 보살핌을 받으며 자라는 아이는 무엇이 필요하다는 생각을 하지 않는다. 배고프다는 생각이 들기 전에 음식을 차려주고 춥다고 생각할 겨를도 없이 따뜻한 옷을 입혀 주기에 아이는 일상생활에서 불편함을 전혀 느끼지 못한다.

이렇게 부모의 지나친 보살핌을 받는 아이는 주변에 도움을 요청하거나 간단한 의사소통조차 시도하지 않는다. 부모의 지나친 보살핌이 의도치 않게 아이를 고립시키는 불행한 결과를 낳게 된다. '필요는 발명의 어머니다.'라는 격언이 있다. 무엇을 필요로 하는 절실한 마음에서 창의력이 나온다. 절실한 필요가 새로운 일에 도전하는 혁신의 원동력으로 작용한다. 부모가 아이를 온실 속 화초처럼 키우면 결과적으로 아이는 새로운 일에 도전하거나 시도하려는 열정을 잃는다.

아이가 혼자 온전히 할 수 있는 일을 부모가 대신 해주는 것도 주의해야 한다. 부모가 아이를 데리고 서둘러 외출해야 해서 급하게 나갈 채비를 한다고 해보자. 아이가 혼자서 신발을 신을 수 있지만, 부모는 급한 마음에 대신 신겨 준다. 이처럼 바쁜 일상이나 아이가 서툴다는 이유로 부모가 모든 것을 대신 해주면 아이는 독립심을 기르기보단 주변 사람에게 의존하는 경향이 생긴다. 나름대로 독립적인 수행이 가능한 아이조차 남에게 의지하는 데 익숙해지면 자립하기가 어렵다.

알을 깨고 나오는 나비 이야기는 자립의 중요성을 알려주는 우화다. 애벌레는 나비가 되기 위해 자신을 둘러싼 알을 스스로 뚫고 나와야 한다. 애벌레 한 마리가 알에서 나오려고 힘들게 몸부림치고 있었다. 어떤 사람이 우연히 그 장면을 보고 안쓰러운 마음에 대신 알을 깨주었다. 바로 여기서 문제가 발생했다. 사람의 도움으로 알에서 빠져나온 나비는 날기 위해 필요한 근육과 힘을 기르지 못했다. 도움을 준 사람은 나비가 겪어야 하는 고생을 덜어주고 싶었겠지만, 그 도움으로 인해 나비는 스스로 날아다닐 힘을 키울 기회를 잃고 만 것이다.

아이에게 아무런 도움도 주지 말라는 이야기가 아니다. 도움을 주되 아이에게 필요한 만큼만 주고 그 이상의 도움을 주어서는 안 된다. 아이 스스로 숟가락질과 젓가락질을 하도록 가르치는 데 투자한 시간과 노력은 나중에 반드시 빛을 발한다. 당장은 가르치는 부모와 배우는 아이 모두 어렵고 힘들지만, 장기적으로 아이의 자립성을 기르기 위해 반드시 통과해야 할 과정이다.

이것은 아이에게 낚시하는 법을 가르쳐줄지 아니면 낚은 고기를 매일 가져다줄지 선택하는 문제와 비슷하다. 부모가 고기를 잡아 아이에게 가져다주면 당장은 좋겠지만 장기적으로 혼자 살아갈 능력을 갖추지 못하게 된다. 이와 달리 낚시하는 법을 배운 아이는 배가 고플 때마다 직접 식량을 구하는 능력을 발휘하게 된다.

말로만 설명하는 습관

부모가 아이에게 '말로만 설명하는 습관(경향)'도 잘못된 태도다. 부모가 아이 행동을 바꾸려 할 때 지나치게 말에 의존하는 경향이 있다.

부모가 아이에게 말로 설명하는 행위 자체는 잘못된 게 아니다. 너무 설명에 치중해 단지 말로만 아이 행동을 바꾸려는 것이 문제다.

부모는 아이가 주변 사정을 이해하고, 부모 마음에 얼마나 큰 상처를 주었는지, 자기 행동이 얼마나 심각한 결과를 가져왔는지 안다면 아이가 행동을 바꿀 것으로 생각한다. 그러나 아이가 그것을 이해한다고 해서 행동을 바꾸는 일은 거의 없다. 아이뿐만 아니라 어른도 마찬가지다. 무엇을 아는 것이 행동에 영향을 줄 수는 있지만, 안다고 해서 행동이 바뀌지는 않는다. 행동을 바꾸는 사람도 있겠지만, 이는 극소수에 불과하다. 대부분은 행동을 바꾸지 않는다.

지나치게 말로 설명하려는 부모는 이 사실을 잘 모른다. 그렇다 보니 말로만 설명하고 실제 가르침을 주는 시범 과정을 빠뜨린다. 앞서 작동 조건화에서 배웠듯이 사람은 자기 행동의 결과를 보고 배운다. 자신이 취한 행동이 가져온 결과에 따라 사람은 행동을 바꾼다. 아이를 가르칠 때도 각 행동에 맞는 마땅한 결과가 있어야 한다. 아이가 부적절한 행동을 하면 부모는 아이가 자기 행동에 상응하는 대가를 치르게 해야 한다.

과보호가 심한 부모의 문제는 무조건 아이의 잘못을 덮어주는 것이다. 그 결과 아이는 자신의 행동이 가져온 피해를 제대로 깨닫지 못한다. 부모가 아이 행동에 적절히 대응하지 않으면 아이는 자기 행동의 결과로부터 아무것도 배우지 못한다. 같은 실수를 반복하지 않도록 부모는 적게 말하고 자주 행동으로 시범을 보여야 한다. 설명이 필요한 경우에는 아주 간략하게 한다. 아이에게 원하는 것이 무엇인지, 아이가 무엇을 해야 하는지 명확히 말하되 모든 내용을 설명할 필요는 없다. 부모가 장황하게 말하는 것보다 행동과 결과로 가르쳐주는 것이 훨씬 더 중요하다.

아이가 배워야 할 기술이 있다면 시범을 보여라. 시범으로 부족하다면 아이의 손을 직접 잡아서 어떻게 해야 하는지 알려줘라. 단지 말로만 설명할 때보다 행동과 결과로 가르치면 아이는 더 빠르게 성장할 것이다.

간단한 문제에 복잡하게 접근하는 태도

예전에 나는 장운동이 원활하지 못한 아이를 맡은 적이 있다. 아이는 대변을 일주일에 한 번씩 보고 그마저도 변비 때문에 힘들어했다. 부모는 아이를 병원에 데리고 다니면서 활성제와 비타민 제품을 처방받았다. 그 외에도 소화 문제를 해결할 방안을 모두 찾아 나섰다. 그러나 막상 아이의 변비를 해결한 방법은 채소를 더 먹이는 것이었다. 채소 위주로 식습관을 교정한 후 아이는 매일 대변을 볼 수 있었다. 이렇듯 부모는 아이에 관해서라면 단순한 문제도 유난을 떨며 극성스러운 모습을 보이는 경향이 있다.

아이의 불면증 때문에 걱정을 토로하는 부모도 있었다. 부모 말에 따르면 아이는 쉽게 잠들지 못하고 잠들어도 얼마 못 가서 깬다는 것이었다. 아이의 수면 문제를 해결하려고 부모는 이것저것 다 시도했다. 그러나 문제의 원인을 너무 광범위하게 생각한 나머지 불면증과는 다소 동떨어진 감각 자극 같은 분야에 지나치게 신경 썼다.

나는 부모에게 아이를 몇 시에 재우는지 물었다. 저녁 9시,

10시, 12시 등 부모가 집에 돌아오는 시간에 따라 매일매일 다르다고 했다. 부모가 일과를 마치고 집에 일찍 들어오면 아이를 씻기고 일찍 재울 수 있었다. 그러나 늦게 돌아오는 날은 아이를 제대로 씻기지도 못하고 부랴부랴 재울 때도 있었다. 부모의 불규칙한 퇴근 시간에 따라 아이의 수면 시간이 결정됐던 것이다.

잠에서 가장 중요한 요소가 수면 위생이다. 수면 위생은 건강한 수면을 위해 필요한 규칙적인 행동이나 습관을 뜻한다. 우리는 몸이 일정 시간에 맞춰 지치게끔 규칙적인 생활을 해야 한다. 매일 똑같은 시간에 잠들고 일어나는 사람은 규칙적인 패턴이 몸에 배어 알람 없이도 정해진 시간에 일어나거나 잠드는 게 가능하다. 비슷한 원리로 정해진 시간에 점심을 먹는 사람은 해당 시간이 다가오면 자연스럽게 배고픔을 느낀다. 따라서 숙면을 위해서는 규칙적인 생활을 유지하는 것이 중요하다.

그러나 앞의 부모는 규칙적인 일상생활의 패턴을 유지하는 대신 두툼한 이불을 사용해 아이를 재우려고 했다. 이것은 아이의 숙면을 위한 본질적인 해결책과는 거리가 먼 방법이다. 그보다는 부모가 집에 오면 아이를 씻기고 간식을 먹이고 정해진 시간에 재우는 생활 습관을 들이는 게 더 낫다. 그래야 시간이 지날수록 규칙적인 수면 습관이 아이 몸에 배어 정해진 시간에 쉽게 잠들 수 있다.

사소한 일로 유난 떨기

아이라면 으레 한 번쯤 겪는 평범한 일조차 과잉반응하는 부모가 적지 않다. 내가 맡았던 한 아이의 부모는 아이가 과식하는 것을 지나치게 걱정해 음식을 줄 때마다 아주 조심스러워했다. 그러나 내가 아이를 만나보니 심하게 마른 상태였다. 부모가 있지도 않은 아이의 과식에 지레 겁을 먹고 음식을 충분히 주지 않은 것이다. 아이가 너무 많이 먹어 콜레스테롤 수치가 높고 몸 상태가 좋지 않아 식단을 조절하라고 의사가 권고했다면 당연히 조심해야 한다. 그러나 부모의 잘못된 인식과 두려움으로 아이에게 있지도 않은 문제에 너무 예민하게 반응하는 것은 문제가 있다.

1장에서 언급한 것처럼 사람의 인식은 생각보다 정확하지 않다. 부모가 문제라고 생각하는 것이 사실에 기반한 것인지 아니면 상상의 결과인지 정확히 따져보고 대응해야 한다.

집 밖에서의 행동 중재

"아이가 밖에서 하는 행동들 때문에 창피해요."라고 말하는 부모가 있다. 그런 말을 들을 때마다 나는 아이가 집안에서도 같은 행동을 하는지 묻는다. 내 질문에 대다수 부모가 그렇다고 답한다. 사실 부모가 집안에서 아이를 통제하지 못하는데 밖에서 아이를 통제한다는 건 말이 안 된다.

아이를 교육하고 가르치는 일은 우선 집안에서 시작해야 한다. 밖에서는 주변 상황과 맞물려 아이를 통제하기가 훨씬 힘들다. 자폐 아이를 이해하지 못하는 낯선 사람이 아이 행동을 보고 문제점을 지적하며 참견하고 훈계하는 상황에서는 아이를 가르치는 게 쉽지 않다. 반대로 집안에서 아이를 가르치면 주변의 방해를 받지 않고 쉽게 아이를 통제할 수 있다. 또 집에서 가장 많은 시간을 보내기에 집에서 배운 기술은 금방 익숙해진다.

5. 자책이 아닌 더 나은 해결책을 향해서

지금까지 설명한 내용을 들은 부모라면 '지금까지 잘못된 행동을 너무 많이 했구나!'라고 탄식하며 자책할지도 모른다. 내 의도는 부모에게 죄책감을 주려는 것이 아니다. 부모가 자주 범하는 실수를 알려주면서 함께 해결책을 모색하려는 것이다. ABA를 올바르게 적용해 가족 모두가 행복하고 건강한 관계를 형성하도록 도우려는 것이 나의 목적이다.

부모는 앞서 배운 지식과 자신들의 실수 경험을 토대로 아이의 문제행동에 어떻게 대응할지 미리 전략을 세워야 한다. 또 자신이 세운 전략은 반드시 실행해야 한다. 전략은 현실적으로 실행 가능한 경우에 성공할 수 있다. 부모는 이길 수 있는 싸움만 선별해서 실제로 실행할 수 있도록 대비책을 세워야 한다. 실행하기 힘들고 복잡한 전략보다는 합리적인 목표와 행동으로 옮기기 쉬운 전략을 짜야 한다. 이렇게 사전에 철저히 준비하고 계획했다면 반드시 실천해야 한다. 계획을 실행하는 초반에 아이의 문제행동이 더 심하게 나타나도 놀라선 안 된다. 울고불고 난리를 쳐서 엄마나 아빠로부터 원하던 것을 받아내는 데 익숙한 아이일수록 갑자기 부모가 자기 뜻대로 움직이지 않으면 당황하기 마련이다. 아이는 원래 써먹던 방법이 안 통하면 때리기, 침 뱉기, 도망가기 등 더 강도 높은 저항으로 부모를 이기려 한다.

아이의 행동이 초반에 일시적으로 심해지면 계획한 중재 전략이 효과를 보이는 것이므로 세운 전략대로 전투를 수행하며 한 걸음씩 단계를 밟아 앞으로 나아가야 한다. 부모가 일관성을 가지고 자신이 세운 전략에 매진한다면 반드시 성공할 것이다.

사전에 전략을 짜고 전투는 한 번에 하나씩만 대응해야 한다. 목표한 전투에서 승리한 다음 새로운 전투로 넘어가는 방식으로 진행해야 한다. 이렇게 작은 전투에서 승리를 쌓아

가다 보면 부모와 아이는 일찍부터 누렸어야 할 평범한 일상을 회복하게 될 것이다.

궁금해요!

질문
ABA 프로그램을 아이에 맞춰 선정할 때 어떤 프로그램을 먼저 진행하나요?

답변
아이를 가르칠 때 어떤 기술부터 가르쳐야 하는지 우선순위가 궁금한 것 같습니다. 나는 아이가 필요로 하는 게 무엇인지를 먼저 살펴봅니다. 아이에게 가장 필요한 기술이 무엇이고, 가장 도움이 되는 기술이 무엇인지 각각의 아이를 충분히 관찰한 후 우선순위를 정합니다.

대부분의 자폐 아이에게는 장기적인 학습을 어렵게 하는 매우 특수한 결함들이 있습니다. 가장 흔히 보이는 결함 중 하나가 노는 법을 모르는 것입니다. 그래서 나는 처음에는 주로 놀이 기술을 먼저 가르치곤 합니다. 아이가 지루하지 않도록 퍼즐, 모양 분류기 등 다양한 장난감 놀이를 가르치고 킥보드나 자전거를 타는 법도 가르칩니다.

그 외에도 가능한 모든 종류의 놀이를 가르칩니다. 노는 법을 배운 아이는 지루하게 시간을 보내지 않으며 이상한 자기 자극 행동도 하지 않게 됩니다. 배운 놀이 기술로 다양한 놀이를 즐기기 때문입니다.

자폐 아이가 가진 또 다른 결점은 무언가를 보고 따라 하는 것을 어려워하는 것입니다. 일반 아이는 어른이나 다른 아이들이 하는 것을 지켜 보고 그대로 따라 할 수 있습니다. 자폐 아이는 모방 능력이 부족하여서 다른 사람을 따라 하는 법을 별도로 가르쳐야 합니다.

주변 사람의 말에 반응하지 않는 것도 자폐 아이에게서 나타나는 흔한 모습입니다. 자폐 아이는 누가 부르거나 지시를 해도 듣지 않습니다. 이 문제를 해결하기 위해 진행하는 두 개의 프로그램이 있습니다. 아이를 부르면 바로 오게 하는 '이리 와' 프로그램과 '박수 쳐', '노크해', '발 굴러'와 같은 기본적인 '지시 따르기' 프로그램입니다. 쉬운 지시를 따르지 않는 아이가 복잡한 지시를 따를 리가 없습니다.

치료 초기에 진행하는 또 다른 수업은 의사소통 프로그램입니다. 자폐 아이는 자기가 원하는 것을 손가락으로 가리키는 방법조차 모릅니다. 원하는 걸 손으로 잡아채거나 울고불고 난리를 치지만 정작 원하는 것을 가리키는 방법은 모릅니다. 심지어 아이는 말로 요구/요청하는 방법조차 모르기에 이러한 기술들을 반드시 가르쳐야 합니다. 이런 의사소통 기술이 없는 아이는 자기가 원하는 것을 다른 사람에게 적절하게 전달하지 못해 부적절한 의사전달 방법을 사용하게 됩니다. 그래서 나는 치료 초기에 아이가 원하는 물건을 가리키거나 요구하는 방법을 가르치는 것을 중요하게 여깁니다.

그 외에도 자폐 아이는 참을성이 부족해 원하는 것을 당장 얻어 내려는 경우가 많습니다. 원하는 것을 바로 주지 않으면 소리 지르고 누워서 떼를 쓰기도 합니다. 이런 문제가 발생하지 않도록 아이가 원하는 걸 얻기 위해 얌전하게 기다리는 법을 가르치는 '기다리기' 프로그램도 진행합니다.

대략 위와 같은 프로그램을 먼저 시작합니다. 이와 별도로 아이에게 시급히 해결해야 할 결함이 보인다면 아이에 맞춰 프로그램을 추가하면 됩니다.

4장

ABA, 아이의 잠재력을 끌어내는 효과적인 교육법

1. 목표를 정하고 교수 계획을 세워라

앞에서 행동 중재로 아이의 문제행동을 관리하면서 무엇을 가르쳐야 하는지 설명했다. 이제 누군가의 행동을 바꾸기에 앞서 당신이 어떤 방식을 사용해야 아이를 효과적으로 가르칠 수 있는지 배워야 한다. 우선 간단한 질문을 해보겠다. 실력 있는 교사가 되려는 사람에게 필요한 자질은 무엇일까? 그리고 훌륭한 교사들이 공통적으로 가지고 있는 자질은 무엇일까?

한마디로 말하면 실력있는 교사는 학생의 잠재력을 끌어낼 줄 안다. 잠재력을 끌어낸다는 것은 아이에게 어떤 목표를 달성할 능력이 있는가를 정확히 판단한 후 아이가 자신의 잠재력을 깨닫도록 돕는 것이다. 이것이 좋은 교사가 갖춰야 할 중요한 자질이다. 유능한 치료사는 우선 자폐 아이가 배울 수 있는 기술이 무엇인지 파악한다. 그다음 아이의 학습을 극대화해 아이가 자신의 역량을 최대한 발휘할 수 있도록 한다. 이번 장에서는 유능한 치료사가 되기 위해 반드시 알아야 할 내용인 **효과적인 교육법(effective teaching)**에 대해 설명할 것이다.

간단한 기술부터 시작하기

아이에게 기술을 가르치고 싶다면 어려운 기술부터 시작하면 안 된다. 가장 쉬운 것부터 시작해야 한다. 처음부터 아이가 가장 힘들어하고 어려워하는 기술을 가르치는 부모가 있다. 부모의 욕심에 의한 잘못된 접근이다. 처음에는 가장 초보적인 단계에서 시작해야 아이도 쉽게 배운다. 또 쉬운 기술부터 가르쳐야 아이가 부모 말을 듣고 따르는 자세가 갈수록 좋아진다. 초반에는 간단한 기술로 시작해 점차 행동의 난이도를 올려야 한다.

개별화 수업: 아이의 수준에 맞게 가르치기

학습을 극대화하는 방법은 각 학생에게 맞는 개별화된 수업을 진행하는 것이다. 사람은 저마다 고유한 특성이 있어 개인마다 차이가 있다는 것을 앞서 설명했다. 배워야 할 것을 직접 보는 게 익숙한 시각형 학습자, 수업을 들으면서 배우는 게 편한 청각형 학습자, 또는 물건을 만지면서 배우는 촉각형 학습자 등 개인의 학습유형에 따라 학습 방법도 달라야 한다. 따라서 개인차를 고려한 개인별 맞춤 수업이 가장 빠르고 다양하게 배울 수 있는 학습 방법이다. 개인의 특성에 맞춰 수업을 진행하기 때문에 학습 효과가 더 클 수밖에 없다.

교사 1인당 학생 수 비율도 학생이 얼마나 빨리 많은 것을 배우는지에 영향을 미친다. 수업 내용에 상관없이 학생은 교사와의 일대일 수업에서 가장 빨리 많은 것을 배운다. 30~40명이 몰려 있는 교실에서 수업을 받는 학생은 일대일로 수업받는 학생만큼 높은 학습 효과를 거둘 수 없다. 교사가 많은 학생을 만족시키며 수업하기가 어렵기 때문이다.

정리하자면 개별화 수업 방식은 학생의 학습 능력을 극대화하기 위해 개인별 맞춤 수업에 초점을 둔다. 학생이 촉각으로 배우는 게 효과가 있으면 수업에 촉감을 많이 이용하고, 청각으로 배우는 게 효과적인 학생에게는 청각 자료를 주로 활용한다. 이처럼 개인의 특성에 맞게 수업 환경을 조성하는 것을 개별화 수업이라고 한다.

학생을 제대로 가르치고 배움을 극대화하려면 우선 아이의 현재 수준을 파악해야 한다. 아이 수준에 맞춰 너무 어렵거나 너무 쉽지 않은 난이도로 수업을 진행해야 한다. 지금까지 내가 만난 부모들 대부분은 자기 아이 수준을 정확히 알지 못했다. 부모는 자기 아이를 과대평가하거나 과소평가했다. 특히 아이가 가진 기능에 따라 그 정도가 심했다.

한번은 자기 자녀에 대해 이렇게 말하는 부모가 있었다. "제 아이는 옷 입기, 이 닦기, 신발 신는 것을 스스로 할 줄 알아요." 그 말을 듣고 내가 직접 확인해 보니 아이가 옷 입는 것을 부모가 거의 다 도와주고 있었다. 부모가 나를 속이려는 의도로 잘못된 정보를 준 것은 아니다. 부모가 아이 대신 많은 것을 해준다는 사실을 정작 본인들만 알지 못했다. 그 결과 아이에게 독립적인 수행 기술이 많다고 오해하고 있었다.

반대로 이렇게 말하는 부모도 있다. "제 아이는 제대로 할 줄 아는 게 없어요." 실제로 아이가 혼자서 바나나 껍질을 깔 줄 모른다며 가르쳐 달라는 부모가 있었다. 이번에도 아이를 불러 직접 확인해 봤다. 아이 혼자 바나나 껍질을 까게 했더니 아이는 다른 사람의 도움 없이도 혼자서 해냈다. 알고 보니 아이가 시도하기 전에 매번 부모가 도와준 것이었다. 그 과정에서 아이는 부모에게 의존하는 경향이 강해졌다. 아이는 혼자 시도하기보다는 항상 엄마에게 와서 "엄마, 껍질 까줘!"라고 했다. 자기가 해야 할 일을 전부 부모에게 떠넘기고 있었다. 이 사실을 모르는 부모는 아이가 혼자서는 바나나 껍질을 깔 줄 모른다고 믿고 있었다.

아이에게 가르치고 싶은 기술이 있다면 일단 아이가 그것을 할 줄 아는지 모르는지 정확하게 파악하는 것이 중요하다. 아이 수준을 파악한 후에는 아이 수준에 맞게 교수 계획을 세우고, 아이에게 어떤 기술을 가르칠지 목표를 설정한다. 또 목표 기술을 빠르게 가르치려면 아이에게 무엇을 어떻게 가르칠 것인지 단계별 계획을 세운다. 자전거를 못 타는 아이에게 처음부터 어려운 기술을 가르치는 무리수를 두면 안 된다. 아이 수준에 맞는 기술부터 단계적으로 가르쳐야 한다.

2. 지시할 때 명확하게 말하라

지시는 명확하게 전달한다

이제부터 본격적으로 효과적인 학습 진행 방법을 설명하겠다. 효과적인 교육의 핵심은 모든 것을 아주 명확히 가르치는 것이다. 모든 수업 내용은 아이가 이해할 수 있어야 한다. 이것이 교육의 가장 기본이다. 그만큼 가르치고자 하는 내용을 학생에게 명확하게 전달하는 것이 중요하다.

치료사는 아이가 알아듣기 힘든 작은 목소리로 중얼거리 듯이 말하면 안 된다. 중얼거리거나 말끝을 흐리거나 또렷하지 않은 발음으로 말하면 아이는 수업을 제대로 이해하지 못한다. 치료사의 부정확한 발음 때문에 당연히 배워야 할 것을 제대로 익히지 못한다. 이런 상황을 예방하기 위해 아이가 건너편 방에서도 잘 들을 수 있게끔 크고 또렷하게 말해야 한다. 아이에게 들리지 않게 지시하는 것은 반드시 피해야 한다. 원래 목소리가 작은 사람은 낮은 음량으로 인해 아이가 지시를 못 들을 때가 있다. 지시를 제대로 듣지 못하면 지시를 따르지 못하게 된다. 그 결과 아이가 배우지 못하는 악순환이 반복된다. 치료사가 가르칠 때는 아이가 무엇을 해야 하는지 알아들을 수 있게 목소리를 크고 또렷하게 해야 한다.

정확한 요구사항을 준비한다

교사는 수업 시간에 아이에게 무엇을 가르치고 요구할지 정확히 알아야 한다. 이를 위해서는 가르칠 내용과 요구사항이 정확하게 준비되어야 한다. 아이에게 무엇을 가르치고 요구할지 치료사가 정확히 알지 못하면, 아이도 자기가 무엇을 배우고 해야 하는지 모른다. 따라서 교사는 수업을 진행하기 전에 아이에게 무엇을 가르치고 요구할지 충분히 준비해야 한다. 실력 있는 교사라면 학생이 배워야 할 내용을 단계별로 차례차례 지도할 수 있어야 한다.

아이에게 무엇을 가르칠지 정확히 안다면 그다음으로 중요한 것은 가르칠 내용을 아이에게 정확히 전달하는 것이다. 우리는 가르칠 내용을 정확히 알아도 그것을 아이에게 제대로 알려주지 못할 때가 많다. 교사는 아이에게 무엇을 요구하는지 정확히 전달해야 한다. 직접 시범을 보이거나 다양한 방법을 동원해 아이가 정확히 무엇을 해야 하는지 이해시켜야 한다. 주의할 점은 교사가 지시를 내릴 때마다 항상 같은 말을 사용해야 한다는 것이다.

3. 촉구로 적절하게 도움을 주어라

아이가 성공하도록 적절한 도움 주기

아이가 새로운 프로그램을 시작할 경우 실패할 기회를 주지 말고 바로 도와주어야 한다. 필요하다면 어떻게 해야 하는지 시범을 보이고 적당한 도움을 주어 아이가 과제에 성공하도록 해야 한다.

신입 치료사의 미숙한 점은 아이에게 필요한 만큼의 충분한 도움을 제공하지 않는 것이다. 아이가 과제 수행을 힘들어하거나 어려워하는 것을 알면서도 치료사는 아이에게 지시를 내린 후 아무 도움도 주지 않는다. 아이가 실패하는 것을 보고 나서야 '저런, 도와줘야겠네!'라며 뒤늦게 도움를 준다. 이런 상황은 피해야 한다. 처음 배우는 단계에서는 아이가 성공할 수 있도록 바로바로 도움을 주어야 한다. 성공 경험이 많아야 아이가 과제 수행을 거부하지 않고 즐겁게 참여할 수 있다.

촉구

촉구(prompting)란 과제를 수행하는 동안 아이가 성공하도록 이끄는 모든 도움을 말한다. 여기서 모든 도움이란 말 그대로 아이가 정답을 맞출 수 있도록 돕는 모든 과정을 포함한다. 촉구를 효과적으로 주는 건 치료사가 가장 배우기 어려운 기술 중 하나다.

촉구의 종류
완전 신체 촉구

완전 신체 촉구(full physical prompt)는 핸드 오버 핸드 촉구(hand-over-hand prompt)라고도 한다. 완전한 신체 촉구란 아이가 정답을 보이도록 처음부터 끝까지 전체 과정을 도와주는 것을 말한다. 만일 내가 아이에게 "박수 쳐!"라고 지시한 뒤

완전 신체 촉구를 주려 한다면 아이의 양손을 잡고 지정한 횟수만큼 손벽 치는 것을 직접 해준다. 해당 촉구를 사용할 때 아이가 정반응을 보이기 위한 과정을 처음부터 끝까지 전부 도와주는 것이다.

부분 신체 촉구

부분 신체 촉구(partial physical prompt)는 완전 신체 촉구에 미치지 못하는 도움을 주는 것을 말한다. 만일 아이에게 "박수 쳐!"라고 지시한 후 부분 신체 촉구를 주려 한다면 박수 치는 것을 시작하도록 아이의 손을 툭 쳐주는 등의 짧고 단순한 도움을 말한다. 아이의 손을 잡아 박수를 한 번 두 번 치게 한 후 세 번째는 시작만 해주고 마무리는 아이가 하도록 하는 것도 부분 신체 촉구에 해당한다.

모델 촉구

모델 촉구(model prompt)는 아이가 해야 할 과제를 시범 보이는 도움을 말한다. 내가 "박수 쳐!"라고 말한 다음 아이에게 박수 치는 것을 직접 보여준다면 모델 촉구를 사용한 것이다. 모델 촉구는 사진이나 그림을 사용할 수도 있다. 점선으로 된 글자를 따라 쓰거나 점선으로 된 그림을 따라 그리는 것도 보고 따라 할 행동을 미리 보여주는 모델 촉구다.

완전 언어 촉구와 부분 언어 촉구

완전 언어 촉구(full verbal prompt)는 상대에게 답을 알려주는 것을 말한다. 예를 들어 "네 이름이 뭐야?"라고 질문한 후 아이에게 "김아람"이라고 완벽한 답을 알려주는 것은 완전한 언어 촉구다. 부분 언어 촉구(partial verbal prompt)는 부분 신체 촉구와 비슷하게 완전 언어 촉구에 비해 도움을 적게 주는 것을 의미한다. 아이에게 "이름이 뭐야?"라고 물어본 후 "김 … "이라고 부분적으로 답을 알려주는 것이다. 부분 언어 촉구를 주었을 때 아이가 맞추지 못하면 좀 더 힌트를 준다. "이름이 뭐야?", "김ㅇㅇ", "이름이 뭐야?", "김아ㅇ". 이렇게 촉구를 주는 것이 부분 언어 촉구다.

제스처 촉구

제스처 촉구(gestural prompt)는 당신이 아이에게 답을 알려주기 위해 사용하는 제스처를 말한다. 가장 흔한 제스처로 손가락으로 가리키거나 톡톡 치는 게 있다. 예를 들면, "물병 만져!"라고 지시한 뒤 직접 물병을 가리켜서 아이에게 원하는 답이 물병이라는 것을 알려준다. 그 밖에 제스처 촉구에는 눈짓이나 고개 까닥임도 있다. 아이에게 "화장실 어딨지?" 물어본 후 화장실이 있는 방향을 쳐다보거나 고갯짓으로 가리키는 방법이다.

잠재적 촉구

잠재적 촉구(latency prompt)는 설명하기 까다로운 형태의 촉구다. 잠재적 촉구는 치료사가 원하는 반응을 보일 수 있도록 답을 의도적으로 끊어서 주는 도움이다. 소리나 음절들을 합쳐 단어를 발음하는 데 어려움이 있는 아이에게 가장 흔히 사용된다. 이 경우 잠재적 촉구를 사용해 각 음절을 따로따로 발음하게 도와준다. 아이가 '김' 또는 '아람'은 말할 줄 알지만 '김아람'이라는 합쳐진 단어를 발음하는 것은 어려워한다고 해보자. 이때 잠재적 촉구를 다음과 같이 사용할 수 있다. 먼저 부모가 "따라 말해! 김" 이렇게 끊어서 아이가 "김"까지 따라 할 수 있게 한다. 아이가 "김"이라고 하면 부모는 곧바로 "아람"을 발음하고, 아이 역시 "아람"이라고 말해 마무리해야 한다. 이처럼 아이가 음절/소리를 합해서 단어를 발음하도록 도움을 주는 것이 잠재적 촉구다. 잠재적 촉구는 처음에 소리 사이에 끊는 시간을 길게 잡고 시작했다가 아이의 발음 실력이 늘면 끊는 시간을 점점 짧게 줄인다.

아이를 성공으로 이끄는 효과적인 촉구

우리가 무엇을 가르칠지 정확히 알고 아이에게 시범까지 보이며 가르쳐도 아이는 곧바로 실행하지 못한다. 아이가 정반응을 보이도록 하기 위해서는 적절하고 효과적인 도움이 필요하다. 어떤 과정을 거쳐야 하는지 하나하나 알려줘야 아이는 자신이 무엇을 해야 하는지 알 수 있다.

촉구는 아이가 할 줄 모르고 이해하지 못하던 것을 점차 수행하도록 돕기 위해 꼭 필요한 조치다. 좋은 치료사가 되려면 적절한 촉구를 줄 수 있어야 한다. 유능한 치료사는 아이를 가르칠 때마다 적절한 촉구를 주어 아이가 배워야 할 기술을 성공적으로 수행하도록 돕는다. 손가락으로 답을 가리키는 촉구가 안 통하면 아이 손을 직접 잡아 정답을 가리키게 하는 신체 촉구로 바꿔야 한다. 만약 언어 촉구가 안 통하면 단어를 음절 별로 쪼개서 아이가 발음할 수 있게 잠재적 촉구로 수정해야 한다. 오반응을 가져오는 촉구를 계속 사용하는 것은 아이 배움에 도움이 안 된다.

일관성 있는 촉구

아이에게 도움을 주기 위해서는 촉구를 주는 방법이 일관되어야 한다. 일관된 도움은 촉구를 줄 때뿐만 아니라 모든 교육 과정에서 중요하다. 특히 일관된 도움은 아이가 할 줄 모르는 기술을 정확하고 체계적으로 익히는 데 유익하다. 그러나 아이가 과제 수행에 성공할 때마다 그 흐름에 맞춰 촉구를 단계적으로 제거해야 한다.

아이에게 박수 치는 법을 가르친다고 해보자. 아이가 박수 치기에 성공하도록 돕는 모든 행위가 촉구다. ABA 치료 초기에는 박수 치는 간단한 기술을 가르칠 때도 일관성을 가지고 도움을 주는 경우가 거의 없다. 너무 많은 도움을 주거나 너무 적은 도움을 주는 경우가 대부분이다.

내 경우에는 아이를 불러서 앉힌 후 "박수 쳐!"라는 지시를 먼저 내린다. 지시를 내린 다음에는 내가 원하는 대로 박수 치도록 아이 손을 잡아 손뼉 치게 하는 식으로 도움을 준다. 그리고 아이에게 강화를 준 후 필요에 따라 이 과정을 한 번, 두 번, 세 번 계속해서 반복한다. 이 과정을 반복할 때마다 나는 아이에게 한결같은 수준/방식으로 도움을 준다. 이렇게 연습하는 동안 아이 스스로 박수 치려고 노력하는 모습이 보이면 그때부터 서서히 촉구를 빼기 시작한다. 각각의 시도마다 박수를 세 번 쳐야 한다면 초반에 세 번 다 아이의 손을 잡아 촉구를 준다. 아이가 감을 잡으면 두 번까지만 촉구를 주고 마지막 한 번은 도움 없이 혼자 하도록 한다. 계속되는 연습으로 아이가 자신감을 가지고 적극적으로 행동하면 촉구를 주지 않고 아이 혼자 박수 치게 한다. 도움을 일관성 있게 주다가 체계적으로 도움을 제거하는 방식으로 연습을 진행하는 것이다.

무의미한 촉구는 시행착오를 초래한다

아이에게 도움을 주지 않거나 오반응을 일으키는 잘못된 촉구를 계속 준다면 아이는 시행착오를 겪으며 학습하게 된다. 아이가 자기 실수를 토대로 혼자 알아서 터득하는 것이다. 시행착오 학습은 실수를 거쳐 배우는 방식이므로 '이게 안 되니 저걸 해보자!', '이것도 안 되니 다른 걸 해보자!'라면서 수많은 오류를 겪는다. 실패를 거듭하다 보니 수업 진도가 더디고 답마저 우연히 알아내는 경우가 많다. 이런 식으로 교육이 진행되면 아이는 목표한 내용을 효율적으로 배우기보다는 운에 의존하게 된다.

실패한 촉구는 계속 사용하지 않기

아이를 가르칠 때 저지르는 흔한 실수 중 하나는 비효율적인 촉구 사용이다. 촉구를 주는 데도 아이가 계속 오답/오반응을 내는 경우가 있다. 계속 오답이 나오는데도 가르치는 사람이 촉구를 고치지 않기 때문이다. 언젠가 아이가 답을 알아낼 것으로 생각해 계속 같은 촉구를 주는 것이다. 그러나 실패를 거듭하면 아이의 마음이 어떻겠는가? 당연히 짜증이 난다. 계속 실패를 경험하면 아이뿐만 아니라 가르치는 사람마저 짜증이 난다. 따라서 특정한 촉구가 원하는 결과를 끌어내지 못한다면 촉구를 수정해 아이가 성공하도록 해야 한다.

당신이 좋아하지 않는 일을 내가 시키려 한다고 가정해 보자. 그 일은 난이도가 높아 내가 아무 도움도 주지 않으면 당신은 과제 수행에 실패할 수밖에 없다. 혼자 과제를 수행하는 당신은 계속해서 실패한다. 그런 당신에게 다음에도 같은 일을 시킨다면 당신은 어떻게 하겠는가? 의욕이 떨어진 당신은 온갖 핑계를 대며 어떻게든 과제를 피하려 할 것이다. 이 같은 결과를 예방하기 위해 과제를 수행할 때 성공을 경험하게 해야 한다. 아이가 과제를 수행할 때도 성공 경험이 중요하기 때문이다. 그리고 과제를 수행할 때 성공을 끌어내기 위해서는 적절한 촉구를 주어야 한다. 만약 촉구가 잘못되어 실패가 반복된다면 곧바로 촉구를 수정해야 한다.

가르치는 기술에 적합한 촉구 전략 사용하기

내가 당신이 좋아하지 않는 일을 시키려 한다고 다시 가정해 보자. 나는 당신에게 일을 시키면서 어떻게 해야 하는지 자세히 설명하고 시범까지 보여준다. 당신이 오반응을 내서 과제 수행에 실패하면 난이도에 맞춰 다시 충분한 도움을 제공한다. 이렇게 해서 당신은 그 과제를 성공적으로 수행한다. 다음에 당신이 같은 일을 해야 한다면 어떤 생각이 들겠는가? 여전히 과제가 재미없을지 모른다. 그러나 이전에 성공한 경험이 있으므로 과제 자체에는 거부감을 보이지 않을 것이다.

아이에게 성공 경험은 그만큼 중요하다. 효과적인 촉구를 주는 이유도 아이의 과제 성공을 돕기 위해서다. 효과적인 촉구를 주기 위해서는 항상 가르치고자 하는 기술에 맞는 전략과 도구를 이용해야 한다. 아이가 과제 수행을 계속해서 실패한다면 가르치려는 기술에 맞는 적합한 촉구로 변경해야 한다. 가르치는 기술에 맞는 촉구를 사용해 아이가 과제 수행에 최대한 성공하도록 해야 한다.

4. 피드백은 정확하게 전달하라

정답? 오답? 명확한 피드백

학습 효과의 극대화를 위한 또 다른 필수 요소는 피드백이다. 피드백이 구체적이고 명확할수록 배우는 사람은 더 나은 성과를 낸다. 애매한 피드백은 오히려 배움에 걸림돌이 된다. 무엇이 맞고 틀린지 정확하게 알려주지 않는 교사에게 배우면 무엇을 어떻게 개선해야 하는지 전혀 갈피를 잡지 못한다.

당신이 학창 시절로 다시 돌아간다고 가정해 보자. 당신이 수강하는 과목의 담당 교수가 학생들에게 논문을 작성하라는 과제를 냈다. 교수는 논문 주제를 알려주며 해당 학기 내로 논문을 작성하라는 지시 외에 논문 작성에 필요한 구체적인 정보는 주지 않았다. 논문 분량을 얼마로 해야 하는지, 어떤 자료를 참고해야 하는지 등 논문 작성에 필요한 정보를 전혀 주지 않았다. 이런 상황에서는 누구라도 논문 작성이 쉽지 않다.

다른 과목을 가르치는 교수도 논문 작성 과제를 내주었다. 앞의 교수와 달리 그는 자신의 요구사항을 분명히 했다. 분량은 10페이지 내로 할 것과 참고 문헌 열 개를 지정해 미리 알려주었다. 추가로 참고할 자료들도 소개해 주었다. 그뿐만 아니라 논문 작성법을 알려주면서 해당 논문의 경우 어떻게 논지를 전개해야 하는지 구체적인 지침을 제공해 주었다. 교수가 이렇게 구체적으로 논문 작성 방법을 안내하고 자신의 요구사항을 명확히 하면 논문 작성이 한결 수월하다. 논문을 작성하는 당사자 역시 교수의 기대에 부합하는 결과물을 제출해 괜찮은 성과를 거둘 것이다.

그러나 이게 끝이 아니다. 당신이 제출한 논문에 대한 교수의 피드백이 남아 있기 때문이다. 당신이 논문을 제출하면 교수는 논문을 채점해 다시 당신에게 돌려줄 것이다. 당신은 이전보다 좋은 성적을 받을 수도 있고 안 좋은 성적을 받을 수도 있다. 그런데 돌려받은 논문에 학점만 달랑 적혀 있고 다른 피드백이 전혀 없다면 어떨까? 무엇을 잘했고, 무엇을 잘못했는지 알려주지 않기에 성적이 달라진 이유를 전혀 모른다는 것이다. 또 앞으로 논문을 쓸 때 무엇을 개선해야 하는지 알지 못하기에 논문 수준을 끌어올리기가 어렵다. 이런 교수 밑에서 논문을 쓴다면 실력이 아닌 운에 맡길 수밖에 없다.

앞서 구체적인 가이드 라인을 제시해준 교수는 논문 평가도 다르다. 제출한 논문에 자세한 피드백을 남겨 당신이 논문을 다시 검토할 기회를 제공한다. 당신은 피드백을 보면서 잘된 내용이 무엇이고, 잘못된 내용은 무엇이며, 앞으로 무엇을 개선해야 하는지 등을 알게 된다. 교수의 자세한 피드백 덕분에 앞으로 더 좋은 논문을 작성하게 될 것이다.

가르치는 사람의 명확한 피드백이 배우는 사람에게는 매우 중요하다. 문제는 학생에게 얼마나 모호한 피드백을 주는지 교사 자신이 알지 못한다는 것이다. 교사의 피드백이 명확하지 않으면 모호한 메시지를 전달해 오히려 학생들을 더 헷갈리게 한다. 그러므로 교사는 학생에게 항상 정확한 피드백을 제공해야 한다.

"그래, 잘했어!"라고 대충 말한 후 아이를 안아서 돌리는 큰 신체 강화를 주거나 "아니, 틀렸어!"라고 단순하게 피드백을 주어서는 안 된다. 큰 신체 강화에 알맞은 말과 표정으로 강화를 주고 틀린 이유 또한 아이에게 정확하게 설명해줘야 한다. 대충 말하고 큰 신체 강화를 주는 양면적인 메시지 전달은 피하고, 딱 하나의 뚜렷하고 확실한 메시지만 전달해야 한다.

피드백은 정확하고 간단명료하게 전달하라

치료사가 지시한 과제를 수행한 아이에게 주는 피드백은 항상 정확하고 간단명료해야 한다. 불필요한 내용은 걸러내고 간단하게 "이것 잘했어!" 혹은 "이건 잘못했어!"라고 피드백을 주어야 한다. 잘했다면 적절한 강화를 이용해 아이가 다음에도 잘할 수 있도록 동기부여를 한다. 아이가 잘못하거나 틀렸을 때도 마찬가지다. 과제의 목표 기준에 미흡한 답을 내놓는다면, "아니"라고 해서 아이의 행동이 잘못되었음을 분명히 알려주어야 한다. 그런 다음 다시 해보라고 지시한다. 다음 시도에서는 아이의 성공에 필요한 촉구/도움을 꼭 주어야 한다.

　나는 이때 사용하는 '아니'를 정보성 아니(informational no)라고 부른다. 단지 틀렸다는 정보를 전달하기 위해 사용하는 표현이기에 아이를 꾸짖듯이 "아니야!"라고 말하면 안 된다. 그렇다고 지시자의 말을 무시해도 상관없다는 식으로 작게 "아니"라고 말해서도 안 된다.

　행동 치료 서비스를 제공하는 사람 중에는 이렇게 말하는 사람이 있다. "내 아이는 '아니'라는 피드백을 들을 때마다 심한 거부 반응과 함께 크게 난리를 쳐서 그 말을 사용하기가 망설여집니다." 그 말을 들을 때마다 나는 이렇게 대답한다. "아이에게는 미안하지만, 아이가 '아니'라는 말에 익숙해져야 합니다." 우리는 매일 많은 사람에게 '아니'라는 말을 듣고 살 수밖에 없기에 그 말에 과민 반응을 보이면 일상생활이 어려울 수밖에 없다. 따라서 아이가 '아니'라는 말에 예민하게 반응한다면 그 말에 익숙하게 만드는 것이 유일한 해결책이다.

5. 그 밖에 효과적 교수를 위해 알아야 할 것

앞의 설명대로 아이를 가르쳤다면, 이제 당신은 아이의 행동을 다루고 통제할 수 있을 것이다. 아이를 자리에 앉혀 지시를 따르게 하는 것도 가능하다. 이런 상황에서 당신이 아이를 효과적으로 가르치기 위해 무엇을 해야 하는지 설명하겠다.

주의 집중을 안 하는 아이 파악하기

가장 중요한 점은 당신이 아이에게 과제 지시를 내렸을 때 아이가 그 과제를 잘 보고 확인할 수 있는가이다. 보통 부모는 아이에게 지시를 내리면서 아이가 과제를 제대로 볼 수 있는지, 또는 볼 수 있는 자세로 앉아 있는지 확인하지 않는다.

나를 찾아와 "우리 아이는 집중을 오래 못 해요."라고 이야기하는 부모들이 종종 있다. 그 말이 사실인지 보여달라고 요청하면 부모는 일단 아이를 앉히고 아이에게 물건 하나를 보여준다. 아이는 잠시 보는 듯하다가 다른 곳으로 시선을 돌린다. 그때마다 부모는 아이가 물건을 보게 하려고 들고 있는 물건을 아이 시선이 가는 곳으로 옮기는 일을 반복한다. 이 경우 아이는 집중을 못 하는 게 아니라 집중을 안 하는 것이다. 아이는 이미 집중을 피하는 방법을 터득한 것이다.

집중력이 부족한 아이는 물건을 보여주며 "이거 봐!"하고 말하면 잠시 쳐다본 후 다른 사물로 시선을 옮긴다. '이게 뭐야?' 또는 '저건 뭐지?' 하면서 다른 사물에 관심을 보인다. 이런 아이는 집중력이 부족해 하나의 사물에 집중하지 못한다.

의도적으로 집중하지 않는 아이의 태도는 집중력이 부족한 아이와는 다르다. 물건을 이쪽에서 보여주면 저쪽을 보고, 저쪽에서 보여주면 이쪽을 본다. 일부러 집중을 안 하는 것이다. 아이가 집중을 안 하는 방법을 습득한 것이다. 주의

집중을 못 하는 아이는 무언가를 보는 문제로 당신과 싸우려 하지 않는다. 그 아이는 하나에 오래 집중하기 어려워 시선이 오락가락한다. 이런 아이와 달리 사물을 봐야 하는 지점만 피해서 아이가 고개를 돌린다면 그것은 다분히 의도적이다.

자극제(교재/교구)를 적당한 위치에 두기

일부러 시선을 피하는 아이를 가르치다 보면 당연히 짜증이 난다. "아니, 이걸 봐야지!"라고 말하며 다양한 방법을 시도한다. 가장 흔한 방법으로는 아이 눈앞에 물건을 바짝 들이대는 것이다.

아이는 이런 상황을 어떻게 받아들일까? 어떤 물건이 자기 얼굴 가까이 다가오면 사람은 불편함을 느낀다. 누가 당신 얼굴에 물건 하나를 바짝 갖다 댄다면 반사적으로 시선을 돌릴 것이다. 이처럼 자극제가 지나치게 가까우면 보기가 불편하다. 따라서 자극제를 너무 가까이 갖다 대는 것은 오히려 상황을 더 악화시킨다.

자극제는 아이가 제대로 보고 뭔지 인지할 수 있게 편안한 거리에 두어야 한다. 치료사에게 적정 거리 유지를 교육

할 때 나는 아이가 보이지 않는 커다란 투명한 구체에 싸여 있다고 상상하라고 한다. 그 상태로 아이에게 자극제를 보여 줄 때 그 자극제가 마치 구체 표면에 붙어 떠다닌다고 생각해야 한다. 그러면 자극제를 위로 올리거나 좌우로 옮길 때 각도를 알맞게 조절해서 아이의 눈길과 마주하도록 할 것이다(237p 그림 참고).

실제로 치료사가 아이에게 자극제를 보여줄 때 각도 조절을 잘못해 아이가 사물을 제대로 보지 못하는 경우가 있다. 그래서 나는 자극제 드는 법을 가르칠 때 치료사가 자극제를 손가락으로 가리지 않도록 주의시킨다.

치료사가 이런 실수를 하는 것이 우스꽝스럽게 들릴 수도 있지만 종종 일어나는 일이다. 아이를 가르치느라 정신이 없어 카드를 거꾸로 들거나 옆으로 드는 치료사도 종종 본다. 지시 내리는 일에 집중하면서 아이 행동까지 관리하려다 보니 자극제를 제대로 보여주는 일까지 신경 쓰지 못한 것이다. 그 상황에서 아이가 오반응을 보이는 것은 아이가 몰라서가 아니다. 자극제를 제대로 보지 못했기 때문이다.

아이가 자극제를 볼 때까지 기다리기

나는 항상 인내심을 가지고 프로그램을 진행한다. 아이가 자극제를 빨리 보지 않는다고 해서 조급해하지 않는다. 내가 조급해지면 아이가 그것을 기가 막히게 알아채기 때문이다. 아이가 앞에 있는 물건을 빨리 안 보면 치료사는 급한 마음에 헛기침하거나 손짓 등으로 아이를 재촉한다. 아이의 주의를 끄는 행동을 하면 아이는 '나한테 이걸 시키려 하는구나, 이걸 보라는 거지!' 하며 곧바로 알아챈다. 그 순간 아이는 이렇게 생각한다. '이 사람이 나한테 하고 싶지도 않은 과제를 시키네, 그럼 나도 시키는 거 안 해야지.' 아이는 자신을 귀찮게 하는 치료사에게 보복하는 심정으로 일부러 주의 집중을 회피한다.

나는 치료사가 비슷한 상황에 직면하지 않도록 다음과 같이 훈련한다. 일단 아이를 불러와 자리에 앉힌 후 치료사가 자극제를 들어올리게 한다. 그다음 시간이 얼마가 걸리든 상관없이 버티게 한다. 또 아이가 고집을 부릴 경우를 대비해 오래 버틸 수 있는 편한 자세를 취하도록 한다. 아이가 자극제를 보기 전까지 아무것도 하지 말고 기다리게 한다. 그렇게 준비하고 있다가 아이가 자극제에 시선을 두는 순간(아이의 눈을 보면 안다) 곧바로 지시를 내린다.

기다리는 동안 아이가 손발을 만지작거리거나 다른 곳을 보는 등 딴짓을 못 하게 막는 것도 중요하다. 아이가 딴짓하려 할 때마다 들고 있던 자극제를 내려놓고 아이 손발을 원위치한 후 다시 자극제를 보게 한다. 이렇게 아이의 행동을 통제하며 사물을 제대로 볼 때까지 기다리게 한다.

나는 이 방법으로 아이가 자리에 앉자마자 카드를 보도록 가르친다. 순순히 카드를 보지 않으면 아이는 지루하게 계속 앉아 있을 수밖에 없다. 아이는 지루하게 계속 앉아 있느니 차라리 과제를 빨리 끝내고 다른 것을 하는 게 낫다고 생각한다. 그때부터 아이는 카드를 보고 빨리 자리를 뜨려고 할 것이다.

능동적인 배움을 위해 자극제 옮기기

자극제를 수시로 움직이면 학습자는 능동적인 모습으로 태도가 바뀐다. 배우는 사람이 아무것도 하지 않는 것처럼 비효율적인 학습은 없다. 카드를 한 위치에 고정한 채 다른 카드로 넘어가도 계속 같은 위치를 고수하면 아이는 수동적인 학습자로 머문다. 아이는 앉아서 아무것도 할 필요가 없기 때문이다. 이를 방지하기 위해 카드의 위치를 계속 바꾸어 아이의 시선을 움직이게 한다. 그러면 아이는 수업 내내 능동적인 태도를 유지할 것이다. 자극제인 카드는 매번 섞어 카드의 순서를 바꿔서 아이에게 보여준다.

아이가 노력하면 가르치는 시간을 짧게 하라

처음 당신이 아이를 가르칠 때 지향해야 할 목표는 아이가 최선을 다하도록 하는 것과 과제에 성공하도록 하는 것이다. 이를 위해서는 가르치는 시간을 최대한 짧게 해야 한다. 아이가 노력하는 모습을 보이거나 과제 수행에 성공하면 수업이 성공적임을 알려주면서 바로 보내주어야 한다. 반대로 아이가 수업에서 문제행동을 보이거나 최선을 다하지 않으면 시간의 흐름은 무시해도 된다. 아이가 올바른 태도를 보일 때는 수업 시간이 얼마나 걸렸는지 신경 써야 한다. 그러나 아이가 문제행동을 보일 때는 시간에 신경 쓸 필요가 없다. 그냥 행동 관리에만 집중하면 된다. 아이가 당신의 지시를 이행하게 하는 일에만 집중해야 한다. 그 과정에서 시간이 얼마가 걸리든 상관할 필요가 없다.

5장

ABA 교수법 1
– 비연속 개별시도 교수법
(DTT)

'DTT' 유튜브 강의입니다.

1. 비연속 개별시도 교수법이란 무엇인가?

비연속 개별시도 교수법(**Discrete Trial Teaching, DTT**)은 ABA의 일부로 ABA를 실행하는 구체적인 방식을 말한다. 비연속 개별시도 교수법은 '불연속개별시도훈련' 혹은 '불연속 개별시도지시'라고도 한다.

DTT는 배움의 과정을 가장 기본적인 형태로 정리한 것으로 아이를 가르치는 가장 기본적인 구성 단위다. 나는 평소에 모든 치료사에게 DTT 실행 훈련을 시킨다. DTT가 자폐 아이를 가르칠 때 가장 효과적이고 짜임새 있는 학습 방법이기 때문이다. DTT는 짜임새가 있다보니 구조를 느슨하게 푸는 것도 가능하다. 즉 구조적인 수업이 크게 필요하지 않은 아이일 경우, 수업 구조를 느슨하게 할 수도 있다. DTT는 일반 사람에게는 굉장히 어색한 수업 방법이지만, 자폐 아이 교육에는 가장 효과적인 학습법이다. 이런 장점 때문에 좋은 ABA 프로그램에서는 기본적으로 DTT를 사용한다. DTT를 이용한 ABA 프로그램은 가장 기본적인 단계에서 시작해 아이가 목표에 도달할 때까지 단계별로 진도를 높여간다.

DTT는 가르치는 사람이 배우는 사람에게 무엇을 해야 하는지 지시를 내리는 요구 기반의 교육 방법론이다. 배우는 사람이 지시를 따르면 좋은 결과가 나오지만, 지시를 따르지 않으면 좋지 않은 결과를 얻는다. 또 DTT를 활용하면 어려운 기술도 가장 기본적인 단계/구성 요소로 세분화하여 쉽게 배울 수 있다.

2. 비연속 개별시도 교수법의 구성 요소

먼저 DTT를 구성하는 각각의 요소들을 알아보자. 아래 도식은 DTT의 전체적인 개요를 보여준다. 아래 공식처럼 DTT는 S^D에서 시작한다. S^D는 변별 자극(Discriminative Stimulus)을 의미한다. 변별 자극은 주변 환경에서 강화를 받아 특정 행동을 유발하는 모든 자극을 말한다. 이것이 S^D에 관한 포괄적이고 과학적인 설명이다.

$$S^D \rightarrow R \leftarrow S^R$$

변별 자극　　반응　　강화 자극

변별 자극, 지시 및 지시와 관련한 모든 교재

S^D의 실질적인 정의는 아이에게 어떤 기술을 가르칠 때 그 분야 내에서 아이에게 내리는 지시 및 지시와 연관해 사용하는 모든 교재를 가리킨다. 예를 들어 아이랑 수업할 때 물병을 들어 보이며 "이게 뭐야?"라고 묻는다면, 이때 S^D는 '이게 뭐야?'라는 질문뿐만 아니라 '내가 들고 있는 물병'까지 포함한다.

변별 자극, 명확하게 하기

당신이 내리는 S^D(지시)와 관련해 가장 중요한 것은 '당신의 지시가 얼마나 명확한가'이다. 지시가 명확하다는 것은 아이가 들을 수 있을 만큼 충분히 큰 목소리로 말하는 것을 의미한다. 또 아이가 지시를 헷갈리지 않도록 중얼거리기보다는 발음을 또렷하게 전달하는 것이다.

변별 자극, 간결하게 하기

무엇보다 아이에게 주는 지시는 간결해야 한다. 대부분의 자폐 아이는 언어 기능이 발달하지 않아 이해할 수 있는 말이 많지 않다. 자폐 아이들을 가르칠 때는 아이의 특성을 고려해 꼭 필요한 언어만 사용해야 한다. 말을 추가해 언어 사용량을 늘리지 않도록 늘 주의해야 한다.

일반적으로 사람은 누군가를 가르칠 때 자연스럽게 말을 많이 하는 경향이 있다. 자폐 아이를 가르칠 때도 자기도 모르게 말을 많이 할 수 있다. 이것은 자폐 아이와 수업을 할 때는 절대 나와서는 안 되는 행위다. 가령, "안녕, 호준아! 내가 손에 들고 있는 것 보이지? 이게 뭐 같니?" 이렇게 많은 말을 사용하면 아이는 질문의 핵심을 이해하지 못한다. "이게 뭐야?" 이런 식으로 아주 단순하게 물어봐야 한다.

변별 자극, 일관성 유지

아이에게 언어를 제대로 가르치려면 일관성을 유지해야 한다. 아이와 상호작용하며 무언가를 가르칠 때는 항상 동일한 표현과 언어를 사용해야 한다. 지난주에 가르칠 때 사용한 표현과 이번 주에 가르칠 때 사용하는 표현이 달라서는 안 된다. 매번 같은 표현과 언어를 사용해야 한다.

아이가 보이는 반응 세 가지: 정반응, 오반응, 무반응

DTT에서 R은 반응(response)을 뜻한다. 여기서 반응은 당신의 지시 뒤에 나오는 아이의 반응이다. 아이가 보이는 반응은 크게 세 가지로 나눌 수 있다. 지시에 따라 제대로 반응하는 정반응(정답), 잘못된 반응을 보이는 오반응(오답), 아예 지시를 듣지 않고 자기가 하던 일을 계속하는 무반응이다. 정반응을 보이는 경우 아이는 강화를 받는다. 아이가 오반응과 무반응을 보이면 '아니'라는 피드백을 받는다.

반응에는 항상 시간 제약이 필요

정반응의 요구 조건에는 항상 시간이 포함되어야 한다. 내가 당신에게 질문했는데, 당신이 대답하는 데 5~10분이 걸렸다고 생각해 보라. 대답을 기다리기에는 너무나 긴 시간이다. 누구도 그렇게 긴 시간을 기다려주지 않는다.

한번은 우리 팀이 어떤 아이에게 펜을 집어 올리는 것을 가르치고 있었다. 아이가 펜을 들 때마다 똑같은 자세를 유지하도록 매번 집어서 뒤로 넘기게 했다. 문제는 아이가 펜을 집어 올리는 과정에서 특정 치료사가 함께할 때 유독 동작이 너무 느렸다.

이 치료사가 펜 집어 올리기를 시킬 때 아이는 모든 과정을 아주 느리게 했다. 펜을 뒤로 넘기기까지 2분 가까이 소요

되기도 했다. 다른 치료사들과 펜 집어 올리기를 할 때는 몇 초 이내에 모든 동작을 척척 수행할 정도로 전혀 문제가 없었다. 유독 이 치료사가 가르칠 때만 아이는 느리게 반응했다. 왜 그랬을까? 다른 치료사들은 아이가 펜 잡는 게 너무 오래 걸리면 '아니'라고 한 후 다시 시작하게 했다. 딱 한 명의 치료사만 그렇게 하지 않았다. 그 치료사는 과제 수행에 걸리는 시간도 반응 구성 중 하나라는 것을 모르고 있었다. 아이가 틀린 건 아니니 느려도 괜찮다고 생각한 것이다. 그러나 반응에는 시간 제약이 필요하다. 이 사실을 항상 기억해야 한다.

강화 자극 : 정반응을 보일 때 제공하는 강화

DTT에서 S^R은 강화 자극(Reinforcing Stimulus)을 의미한다. 이것은 아이가 정반응을 보일 때 제공하는 강화다. 아이에게 주는 강화는 아이가 정반응을 보이기 위해 노력한 양과 일치해야 한다. 아이가 크게 노력하지 않으면 아이가 최고 좋아하는 강화는 주지 않는다. 반대로 아이가 최선의 노력을 다했는데도 효과가 없는 평범한 강화를 제공하면 안 된다. 강화는 아이의 노력에 맞추어 제공해야 한다. 아이가 최선을 다해 반응하면 당신도 최선을 다해 아이가 좋아하는 강화를 제공해야 한다.

강화는 과제의 난이도에 맞춰 제공한다

강화는 아이에게 수행하도록 한 과제의 난이도와 일치해야 한다. 일반적으로 아이에게 새로운 기술을 가르칠 때 초반에는 아이가 배우기 어려워한다. 그래서 정반응이 나올 때마다 많은 양의 강화나 최고의 강화를 준다. 이렇게 해서 아이의 실력이 향상되면 그 기술을 실행하는 게 쉬워지므로 강화에도 변화를 준다. 해당 기술을 가르칠 때 제공하는 강화도 서서히 약해져야 한다.

오반응과 무반응에는 감정 없는 '아니'로 피드백 주기

아이가 오반응을 내면 어떻게 해야 할까? 아이가 오반응이나 무반응을 보이면 피드백을 주어야 하는데, 이때 피드백은 감정이 담기지 않은 '아니'라고 해야 한다. '아니'라는 피드백은 '아니야!'처럼 화가 난 채로 해서는 안 되고, 아이가 듣지 못할 정도로 불분명하게 '아닌데 …'라고 말해서도 안 된다. '아니'는 아주 명확하고 또렷하게 제공해야 한다. 분명

DTT – 정반응 예시

① S^D: 변별 자극

치료사가 아동에게 박수
치라고 지시를 한다.

② R: 정반응

아동이 박수 친다.

③ S^R: 강화 자극

치료사가 아동에게
과제의 난이도에 맞는
강화를 준다.

DTT – 무반응/오반응 예시

① S^D: 변별 자극

박수 쳐!

치료사가 아동에게
박수 치라고
지시를 한다.

② R: 무반응 또는 오반응

아동이 아무런 반응이 없다.
또는
지시와 다른 반응을 한다.

③ S^R: 피드백

아니

치료사가 아동에게
'아니'라고
피드백을 준다.

④ S^D: 변별 자극

박수 쳐!

치료사가 아동에게
다시 박수 치라고
지시를 한다.

⑤ 촉구 뒤
R: 정반응

⑥ S^R: 강화 자극

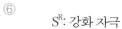

치료사는 재지시 후 아동이
실패하지 않도록
바로 촉구를 줘서 박수를 치도록 한다.

치료사가 아동에게
과제의 난이도에 맞는
강화를 준다.

한 피드백을 제공해야 아이는 자기가 무엇을 틀렸는지 확실히 알 수 있다.

피드백은 곧바로 제공한다

피드백은 아이가 반응을 보이자마자 곧바로 제공해야 한다. 아이가 정반응을 보이면 강화를 제공하고, 오반응을 보이면 '아니'를 즉각적으로 제공한다.

내가 아이에게 "박수 쳐!"라고 지시한 후 아이가 박수를 쳤는데, 내가 잠시 기다렸다가 강화를 주었다고 해보자. 좀 더 구체적으로 "박수 쳐!"라는 나의 지시에 따라 아이가 '짝짝짝' 박수를 쳤다. 아이가 반응을 보인 후 나는 1~2초간 침묵했고, 그 사이에 아이가 귀를 만졌다. 곧이어 내가 "잘했어!"라고 강화를 주었다.

언어를 잘 모르는 아이는 자신이 박수 쳐서 강화를 받은 건지 아니면 기다리는 동안 귀를 만져서 강화를 받은 건지 제대로 알지 못한다. 피드백을 신속하게 제공하는 것은 아이에게 맞는 것과 틀린 것이 무엇인지 정확히 가르쳐준다는 점에서 무척 중요하다.

지시와 마찬가지로 피드백도 명확해야 한다. 그렇지 않다면 피드백을 줄 이유가 없다. 만약 다른 사람이 당신이 한 일에 관해 평가하는데, 그 평가가 모호하면 '내가 잘했다는 거야, 잘못했다는 거야? 잘 모르겠네.' 하면서 헷갈릴 것이다. 문제는 그다음이다. 다음에 일을 더 잘해보려고 하지만, 어떻게 할지 여전히 모르기 때문이다.

자폐 아이도 똑같다. 피드백을 정확하게 주어야 아이가 헷갈리지 않는다. 당신의 피드백을 들은 아이가 무엇이 정답이고, 무엇이 오답인지 확실히 알게 해야 한다.

촉구의 의미와 주의할 점

DTT를 설명하는 S^D, R, S^R 이미지에 포함되지 않은 것이 있는데, 바로 촉구(prompt)다. 촉구는 아이가 정반응을 낼 수 있도록 당신이 아이에게 제공하는 모든 도움을 뜻한다.

촉구는 의도적으로 혹은 우발적으로 제공할 수 있다. 우발적인 촉구는 당신이 의도치 않게 아이가 정답을 알 수 있도록 주는 도움을 의미한다.

내가 치료사들을 훈련 시키면서 관찰해보면, 처음에는 많은 치료사가(의도가 없이 무의식적으로) 우발적인 촉구를 사용한다. 예를 들면, 치료사가 자신도 모르게 물병을 힐끔 보면서 "물병 만져!"라고 말한다. 치료사는 자기가 물병을 쳐다보고 있다는 것을 모르지만, 아이는 대부분 이런 신호를 금방 눈치챈다. 아이가 치료사의 지시대로 물병을 만졌다면, 아이가 물병을 알아서 만진 것이 아니다. 치료사의 신호를 파악해 물병을 만진 것이다. 포커에서는 이것을 텔(tell)이라고 한다. 포커하는 사람은 텔로 상대방이 어떤 패를 가졌는지 파악한다. 마찬가지로 아이를 치료하는 치료사도 이런 우발적인 촉구를 주지 않도록 항상 조심해야 한다.

촉구와 무오류 수업

나는 아이를 가르칠 때 보통 무오류 수업을 사용한다. 무오류 수업은 아이가 새로운 기술을 배울 때 초반에 아이의 성공률을 높이기 위해 충분한 도움을 제공하는 것을 말한다. 충분한 도움으로 아이가 서서히 기술을 익히면 아이에게 주는 도움도 서서히 줄여 간다.

무오류 수업은 최대한에서 최소한으로 촉구 주기(most-to-least prompting) 방식을 사용한다. 최대한에서 최소한으로 촉구를 주는 것은 앞서 소개한 성공률을 높이기 위한 방식과 완전히 똑같다. 배우는 아이가 성공할 수 있도록 최대한 많이 도움을 주다가 실력이 늘고 성공 횟수가 많아질수록 도움을 서서히 줄여가는 것이다. 최소에서 최대로 촉구 주기(least-to-most prompting) 방식도 있다. 이 방법은 초반에는 도움을 최소한으로 주고 배우는 사람에게 도움이 필요할수록 도움의 단계를 늘려 가는 것을 말한다.

처음부터 촉구가 적거나 없으면 아이는 배울 때 실패를 반복한다. 처음부터 계속해서 실패를 경험하면 과제 수행 의욕을 떨어뜨려 학습 성과를 끌어올리기가 어렵다. 반대로 최대에서 최소로 촉구를 주는 무오류 수업은 실수 횟수를 최소화해 아이가 정반응을 많이 경험하게 한다. 또 정반응을 보이는 만큼 강화도 많이 받기 때문에 강화를 많이 받고 나면 뇌에서는 정반응을 경험하려는 신경회로가 뚜렷하게 확립된다.

촉구 없는 시행 착오적 학습은 운에 의존하게 한다

아이가 과제 수행에 실패를 거듭하면 뇌가 정반응을 경험하려는 신경회로가 제대로 확립되지 않는다. 정반응을 경험하려는 뇌의 신경회로가 확립되지 않으면 아이는 그저 운에 의존해 정반응을 보이려 한다. '연습이 완벽을 만든다.'라는 속담이 있다. 멋지게 들리는 말이지만 이 속담에는 불완전한 단어가 있다. 바로 '연습'이다. 그냥 '연습'이 아니라 '올바른 연습'이 되어야 한다.

올바른 연습만이 완벽을 만든다. 올바르지 않은 연습은 특정 기술을 배울 때까지 필요 이상으로 실수를 반복하고 배우는 데도 오랜 시간이 걸린다.

촉구는 항상 지시 뒤에 바로 주어야 한다

일상생활에서 사람은 시간과 장소에 상관없이 촉구를 제공할 수 있다. 문제를 내기 전에 미리 힌트를 줄 수 있고, 문제를 냈는데 답이 틀린 후에 힌트를 줄 수도 있다. 자기 편한 대로 아무 때나 줄 수 있다.

그러나 DTT에서 촉구는 **'항상, 항상, 항상' 지시를 내린 직후에** 주어야 한다. 촉구는 즉각적으로 따라와야 한다. 촉구는 제공하는 타이밍이 중요하다. 앞서 여러 번 강조한 것처럼 촉구는 반드시 지시 후에 바로 제공해야 한다.

지시를 내리자마자 바로 촉구를 주어야 하는 이유가 있다. 촉구가 당신의 지시와 아이의 정반응을 연결해주는 다리 역할을 하기 때문이다. 이 다리는 최대한 짧게 만들어야 한다.

다리가 짧을수록 아이는 지시를 자기가 보여야 할 반응과 쉽게 연관 짓는다. 반대로 다리가 길수록 아이는 지시와 자기가 보여야 할 반응을 연관 짓기 어려워하고 시간도 더 걸린다.

3. 비연속 개별시도 교수법의 진행

DTT 프로그램을 시작할 때는 보통 아이의 순응을 얻기 위해 아이가 할 수 있는 아주 쉬운(그러나 하라고 시키면 하지는 않는) 과제부터 시도한다. 아이가 아무리 많은 기술을 갖고 있어도 기술을 사용하라는 지시를 거부하면 소용이 없다. 따라서 기술을 사용하라는 지시에 순응하는 게 중요하다. 순응으로 아이가 기본 기술을 배우고 나면 가르치기가 점점 쉬워진다. 가르치는 기술을 증가시키고 점점 복잡한 기술에 노출하다 보면 일상생활에서 복잡한 기술을 구사할 정도로 높은 수준에 도달하게 된다.

DTT 프로그램은 언어를 가르칠 때도 매우 체계적으로 진행한다. 언어 기능이 없는 아이의 경우, 가장 먼저 아이가 아무 소리든 많이 내게 하는 것부터 시작한다. 아이가 소리를 점점 자주 낸다면 소리 모방을 시도한다. 아이에게 "따라 말해!"라고 지시를 내리면 아이는 당신이 내는 소리를 듣고 따라 해야 한다는 것을 이해시킨다.

아이가 소리 모방을 익히게 되면 그 후로 더 구체적인 특정 소리로 모방하는 방법을 가르친다. 내가 '아'라고 말하면 아이도 '아'를 따라 해야 하고 '이'라 했을 때 '이'를 따라 말하도록 가르친다. 아이가 소리 모방이 되면 단어 모방을 시도할 수 있고, 단어 모방이 되면 문구 모방을 시도할 수 있다. 또 문구 모방이 되면 문장 모방을 시도하는 식으로 점점 더 복잡하게 진도를 나갈 수 있다.

언어를 가르칠 때는 사물, 색상, 행동 같은 매우 구체적인 항목부터 훨씬 추상적인 항목까지 모든 분야를 다 짚고 넘어가야 한다. 언어에는 수용 언어와 표현 언어 두 가지 유형이 있다. 수용 언어는 언어에 대한 이해를 의미하고 표현 언어는 말을 실제 입 밖으로 내는 것을 말한다. 그래서 언어 프로그램에는 언어 이해를 목표로 하는 수용 언어 프로그램과 표현 언어를 가르치는 표현 언어 프로그램이 있다. 표현 언어 프로그램은 아이가 질문에 답하는 법을 가르친다.

나는 수용 언어 프로그램을 먼저 시작해 아이가 수용 언어를 익히고 나면 표현 언어 프로그램으로 넘어간다. 예를 들어 내가 "연필 만져!", "가방 만져!", "컵 만져!"라고 하면 아이는 지시를 수행하는 것으로 단어를 이해하고 있음을 보여준다. 이렇게 해서 아이가 수용 언어를 익혔음을 확인한 후에 아이가 연필, 가방, 컵을 말하는 표현 언어 프로그램으로 넘어간다.

DTT에서는 아이에게 한 번에 하나씩 가르친다. 내가 물병이라는 사물을 가르쳐주고 싶으면 아이가 제대로 배울 때까지 물병만 가르쳐야 한다. 아이가 물병을 제대로 아는지 확인하려면 다른 사물들과 같이 보여주면서 물병을 찾아보라고 한다. 아이가 답을 맞히면 사물을 정확하게 아는 것이다. 먼저 배운 것을 제대로 익혔다면 아이에게 새로운 것을 가르친다. 다음으로 아이가 지금까지 배운 것을 한꺼번에 모아 복습한다. 복습으로 모든 사물을 다 기억하고 있는지, 사물을 혼동하지는 않는지, 각각의 사물을 구별할 수 있는지 확인한다. 이렇게 아이가 이미 배운 기술을 다시 연습시키는 시팅(sitting)*을 나는 마스터드 아이템 시팅(mastered item sitting) 이라고 부른다.

나는 아이가 충분히 연습하고 효과적으로 배울 수 있도록 하루에도 여러 번에 걸쳐 기술을 가르친다. 시간이 흘러도 아이가 학습한 기술/사물을 제대로 기억하고 있다는 것을 계속 보여주면 이를 연습하는 횟수를 점점 줄여나간다.

---

* 아이에게 프로그램을 가르치는 시간을 뜻한다.

6장

ABA 교수법 2
- 비수반적 교수법
(NCT)

'NCT' 유튜브 강의입니다.

1. 비수반적 교수법(NCT)이란 무엇인가?

비수반적 교수법(Non-Contingent Teaching, NCT)이 무엇인지 알아보려고 찾아본 사람은 아무 자료도 나오지 않아 다소 실망했을 것이다. NCT는 내가 자폐 아이들을 가르치다 우연히 발견한 교육법이다. 정식으로 발표한 적이 없어서 공식적으로 사용되는 용어가 아니다. 공식적인 용어가 아니므로 책은 물론 인터넷에서 검색해도 관련 내용이 나오지 않는다.

DTT는 오랜 역사를 지니고 있으며 행동의 결과로 학습하는 조작적 조건화의 원리를 기반으로 한다. NCT는 연관과 연상으로 학습하는 고전적 조건형성을 기반으로 한다. 나는 우연히 NCT를 발견해 새로운 학습법으로 개발했고, NCT를 활용해 아이의 학습 향상에 큰 성과를 얻을 수 있었다. NCT는 DTT와 달리 학습을 행동 결과가 아닌 한 항목(item)을 다른 항목과 연동하는 학습 방법에 기반하고 있다.

먼저 NCT를 발견하게 된 과정을 간략히 소개하겠다. 내가 담당하던 아이에게 사물 이름을 가르치고 있었다. "이건 물병이야, 이건 글자야." 이렇게 DTT로 사물의 이름을 가르치고 있었다. 나는 늘 그래왔듯이 먼저 사물을 수용적으로 가르친 다음 직접 표현하도록 했다. 그런데 아이가 배우는 속도가 너무 느려서 사물을 수용적으로 익히는 데 2~3주가 걸렸다. 심지어 사물을 표현하기까지는 더 오랜 시간이 걸렸다.

나는 어떻게 해야 아이가 더 빨리 배울 수 있을까 고민하다 새로운 시도를 했다. 아이에게 가르치고 싶은 사물 열 개의 사진을 모아 시간마다 아이에게 노출했다. 한 시간마다 사물 항목 열 개를 아이에게 계속 보여주며 사물 이름을 같이 말해주었다. 당시 나는 아이가 좀 더 빨리 배웠으면 하는 간절한 마음으로 이 프로그램을 진행했다.

프로그램을 진행한 2주 동안 아이는 항목 열 개를 수용적으로 배워 표현까지 하는 놀라운 결과를 보여주었다. 간단한 노출 과정이 이렇게 큰 효과를 가져오리라고는 미처 예상하지 못했다. 너무 놀라 입이 다물어지지 않았다. 이렇게 해서 비수반적 교수법(NCT)이 탄생했다.

이후 수년간 NCT를 실험하고 탐구한 끝에 나는 다음과 같은 절차를 확립했다. 한 번에 하나씩 가르치는 DTT와 달리 NCT는 한 번에 아이에게 가르칠 항목을 열 개씩 지정한다. 열 개의 항목은 수시로 아이에게 노출해 가르칠 수 있는 적당한 개수다.

NCT에서는 일단 아이 앞에 앉아서 아이에게 노출하려는 항목 중 하나를 들어서 보여준다. 그 상태로 아이가 사물을 볼 때까지 기다린다. 아이가 사물에 시선을 맞추면 그때 들고 있던 사물의 이름을 말한다. 만일 당신이 물병을 들어 아이에게 보여주었다면 아이가 물병을 보는 순간 "물병"이라고 이름을 말한다. 그런 다음 컵을 들어서 보여주고 아이가 다시 컵을 볼 때까지 기다렸다가 보는 즉시 "컵"이라고 이름을 말한다. 이렇게 10개 항목을 같은 방식으로 연달아 진행한다.

아이가 항목을 제대로 보기만 한다면 10개 항목을 순식간에 끝낼 수 있다. 비수반적 프로그램은 적어도 한 시간에 한 번씩 반복해서 실행한다. 이렇게 사물을 계속 노출하다 보면 아이가 일부 항목을(따라 말하라고 요구하지 않아도) 모방하기 시작한다. 만약 내가 아이에게 펜을 보여주면서 "펜"이라고 말하면 아이는 'ㅍ, 프'라고 하며 내가 한 말을 따라 하려고 할 것이다. 프로그램을 계속 진행하면 어느 순간 아이는 당신보다 빠르게 사물 이름을 말할 것이다. 그만큼 모방 효과가 점점 좋아진다. 당신이 이름을 계속 들려준 펜을 들어 올리면 아이는 펜을 보자마자 당신보다 먼저 '펜'이라고 말할 것이다. 아이가 모방을 능숙하게 하면 그때부터 치료사는 아이가 사물을 먼저 말할 수 있도록 일부러 사물의 이름을 조금 늦춰 말한다.

NCT로 다양한 내용을 가르치고 나면 마무리는 항상 DTT로 한다. 아이가 NCT로 개별 항목들을 제대로 익혔는지 확인하기 위한 과정이다. 아이가 사물의 이름을 말한다면 진짜로 알고 있는지 확인 과정을 거치는 것이다. 내가 물건을 집어 올려 "이게 뭐야?"라고 물으면 아이는 '펜'이라 대답할 것이다. 그러면 이제 펜을 다른 물건과 함께 보여주면서 "펜 만져!"라고 요구한다. 아이가 이 지시에 따라 펜을 만져야 펜을 확실히 아는 것이다. 아이가 얼마나 알고 있는지는 중요하지 않다. 당신이 요구했을 때 아이가 배운 것을 말하고 선택할 수 있어야 한다. 그렇지 않으면 그동안 가르친 노력은 아무 소용이 없다. NCT의 학습 결과를 DTT로 확인하는 이유다.

2. 비수반적 교수법의 진행 방법

가르칠 항목 10개 선정하기

이제 구체적으로 프로그램을 진행하는 방법에 대해서 살펴보자. 비수반적 교수법은 우선 가르칠 항목 열 개를 준비하는 것으로 시작한다. 항목 선정이 끝나면 가르칠 아이를 불러서 자리에 앉힌다.

다음으로 항목 중 하나를 들어서 아이에게 보여주고 아이가 볼 때까지 참을성 있게 기다린다. 당신은 아이가 항목을 볼 때까지 기다리는 동안 조바심을 내면 안 된다. 아이의 주의를 돌리려고 헛기침을 하거나 들고 있는 항목을 툭툭 치거나 아이가 항목을 보도록 움직여서도 안 된다. 그냥 아이가 쳐다볼 때까지 항목을 들고 계속 기다려야 한다. 기다리는 도중에 아이가 자리에서 일어나려 하면 아이를 자리에 앉힌 후 항목을 원래 있던 위치로 다시 올린다. 아이가 딴짓하거나 장난치려 할 때도 못 하게 한 후 다시 항목을 원위치로 올린다.

처음 시도할 때는 당신뿐만 아니라 아이도 기다리는 상황이 익숙하지 않아 힘들어한다. 그러나 꾸준히 반복하면 아이는 자리에 앉자마자 당신이 들고 있는 항목을 즉시 볼 것이다. 당신이 제시한 항목을 아이가 보면(그냥 보기만 하면 된다) 당신은 해당 항목의 이름을 곧바로 말한다. 당신이 가위를 들고 있다면 아이가 가위를 보는 순간 바로 "가위"라고 말한다. 이 과정을 마치면 다음 항목으로 넘어간다.

다음 항목을 들어서 보여줄 때는 이전과는 다른 위치에 항목을 들어서 보여주어야 한다. 이렇게 하는 이유는 아이를 학습에 능동적으로 참여시키기 위해서다. 똑같은 위치에서만 항목을 보여주면 아이는 수동적인 학습에 머문다. 가만히 앉아 있기만 해도 자기가 보고 배워야 할 항목을 치료사가 알아서 보여주기에 덜 집중하게 된다.

그러나 물건의 위치가 계속 바뀌면 아이는 물건을 보기 위해 시선을 능동적으로 바꾼다. 당신이 물건을 보여주는 위치만 바꾸어도 아이의 태도를 바꿀 수 있다. 아이는 적극적인 자세를 유지하며 항목에 주의를 기울이게 된다.

이런 방식으로 아이에게 물건을 보여주고 아이가 항목을 볼 때마다 이름을 말해준다. 열 개의 항목을 전부 다 알려줄 때까지 프로그램을 반복한다.

열 개의 항목을 한 시간에 한 번씩 연습하면 아이는 당신이 알려준 것을 따라서 말하게 될 것이다. 어떤 아이는 배우는 게 빨라서 당신이 물건 이름을 말하기 전에 먼저 정답을 말할 것이다. 예를 들어 당신이 가위를 들어서 아이에게 보여주면 아이는 당신이 알려주기 전에 먼저 '가위'라고 말할 것이다. 아이가 특정 항목들을 반복해 듣다 보면 당신이 말해주는 물건 이름을 점점 모방하게 되어 나중에는 각 항목의 이름을 독립적으로 말하게 된다. 이렇게 아이가 각 항목을 말하면 NCT로 항목을 배웠음을 알게 된다. 이것이 내가 원하는 이상적인 프로그램 진행 방법이다.

아이가 말은 잘 흉내 내는데 당신보다 앞서 답을 말하려 하지 않는다면 일부러 답을 조금 늦게 말한다. 아이가 물건을 보자마자 '가위'라고 말해주는 게 맞지만, 잠시 기다려 아

NCT 예시

| 준비물: 가르칠 항목 10가지 |

항목 10가지 예시
사과, 바나나, 치약, 칫솔, 숟가락,
젓가락, 강아지, 고양이, 가방, 컵

| 진행방법 |

정면

오른쪽 또는 왼쪽

위 또는 아래

아이가 구 안에 있다고 생각하고
카드를 구 표면에 붙인다 상상하며
정면, 양옆, 위, 아래로
카드를 보여준다.
아이가 카드를 보는 순간
카드의 이름을 말한다.

이가 답을 먼저 말하도록 유도하는 것이다. 어떤 아이는 모방은 잘하는데 발음이 정확하지 않은 경우가 있다. 그런 경우 이름을 말하는 방법을 바꿔 아이가 발음하기 어려워하는 부분을 강조한다. "가, 위" 이런 식으로 발음을 쪼개서 들려주면 아이가 소리를 더 쉽게 따라 할 수 있다.

NCT로 배운 것은 DTT로 확인한다

NCT로 배운 후에는 아이가 당신의 질문을 듣고 정답을 맞히는지 확인 과정이 필요하다. NCT로 아이가 물건을 보고 이름을 말하면 DTT로 당신의 지시에 따라 아이가 아는 것을 말하는지 확인한다.

DTT로 당신이 "이게 뭐야?"라고 물었을 때 "가위"라고 답하면 아이가 가위를 완전히 배운 것으로 간주한다. 아이가 확실히 알고 있다면 해당 항목을 NCT에서 빼고 새로 가르칠 항목으로 교체한다.

동시에 아이가 항목을 수용적으로도 알고 있는지 확인한다. 여기서 수용력은 언어의 이해를 의미하고 표현력은 언어를 입으로 말하는 것을 뜻한다. 앞에서는 아이가 가위라는 이름을 말할 수 있는 표현력을 확인했다. 아이가 물건의 이름을 수용적으로 알고 있는지 확인할 때는 테이블 위에 여러 물건을 함께 올려놓고 아이에게 "가위 만져!", "가위 가리켜!"라고 지시한다. 아이가 행동(지시 수행)으로 가위를 가리켜 안다는 것을 보여주면 아이는 가위를 수용적으로 배운 것이다.

아이가 NCT 교육으로 물건을 명시할 수 있어도 DTT로 배운 것을 굳이 확인하는 이유가 있다. 다른 사람이 요구할 때도 아이가 아는 것을 말해 주어야 하기 때문이다. 아이가 얼마나 많이 알고 있는지는 중요하지 않다. 아무리 많이 알아도 아는 지식을 활용하거나 사용할 줄 모른다면 배운 것이 쓸모없기 때문이다. 배우느라 쏟아부은 시간만 아까울 따름이다. 아이가 자기 이름을 확실히 알아도 누가 이름을 물었을 때 바로 대답하지 않으면 소용이 없다.

그래서 나는 모든 NCT 교육을 항상 DTT로 마무리한다. 아는 것을 보여 달라는 요청에 아이가(수용적 혹은 표현적으로) 적절하게 지시를 수행하는지 확인하는 것이다. 어떤 아이는 언어 수용력은 좋지만, 언어 표현력을 향상하는 데는 오랜 시간이 걸릴 수 있다. 표현 언어 발달이 느린 아동일수록 언어 수용력을 충분히 발달시켜 표현 언어가 자연스럽게 발달하도록 도와야 한다.

언어 발달이 느린 아이는 NCT 교육 과정을 거친 후 아이가 아는 것을 수용적으로 나타낼 수 있는지 확인한다. 앞서 설명한 것처럼 언어 수용력을 확인하는 방법은 다음과 같다. 아이 앞에(아이가 이미 배운 물건을 포함해) 여러 물건을 한꺼번에 가져다 둔 다음, "가위 만져!", "펜 만져!"라고 지시를 내린다. 그러면 아이는 물건 이름을 직접 말하지 않아도 자기가 안다는 사실을 행동으로 전달한다. 아이가 물건 이름을 수용적으로 아는 것을 확인하면 해당 물건은 새로운 물건으로 교체한다. 이 과정의 목표는 아이가 최대한 빨리 많은 수용 언어를 익혀서 어휘를 확장하는 것이다. 언어를 표현하는 부분은 아이의 표현 언어 기술이 발달했을 때 진행한다.

3. 비수반적 교수법의 활용 방안

 나는 NCT를 오래전부터 자주 사용해 왔고, 다양한 실험으로 그 효용성을 확인했다. 그 과정에서 NCT를 여러 형태로 활용할 수 있음을 발견했다.

 먼저 사람의 감정을 표현한 그림을 보면서 같은 감정을 표현한 사람의 그림과 짝짓는 교육(매칭)을 할 수 있다. 여기서 가장 중요한 것은 다양한 자극제이다. 서로 다른 감정을 보이는 다양한 그림을 자극제로 사용하는데, 이것이 NCT를 이해하는 데 가장 중요한 부분이다.

 무언가를 비수반적으로 가르칠 때는 아이가 배워야 하는

핵심을 이해시키기 위해 항상 많은 예시를 준비해야 한다. 같은 감정 그림을 맞추는 실력이 좋아지면 아이에게 답을 알려주는 과정도 서서히 제거한다.

한글을 가르칠 때도 NCT를 활용할 수 있다. 아이에게 한글 자음을 가르친다고 해보자. 아이가 한글 자음 'ㅍ' 카드를 볼 때 아이에게 자음의 이름 '프'를 들려준다. 이어서 자음 'ㅍ'의 획순 쓰기와 짝 맞추기를 할 수 있다. 즉 아이에게 'ㅍ'이 적힌 카드 위에 손가락으로 획순을 따라 쓰도록 한다. 처음에는 아이 손을 잡고 아이가 손가락으로 획순을 쓰는 것을 도와주다가 아이 실력이 점점 향상되면 촉구를 조금씩 제거한다. 이렇게 한글 자음, 모음, 특정 단어의 소리 및 이미지와 자모음 및 단어의 획순과 연관 짓는 것이다.

아이가 단어 발음을 어려워할 때도 적용할 수 있다. 해당 단어를 쪼갠 후 아이의 입 모양을 바르게 잡아주어 발음을 정확히 하도록 연습하는 방법이다. 쓰인 단어와 그 단어 소리를 연결해서 아이에게 읽는 법을 가르치는 방법도 있다. 미국에서는 대부분 이 방법을 사용해 글 읽기를 가르친다.

위치를 가리키는 단어 카드를 실제 위치와 연관해 찾아가도록 하는 방법도 있다. 우선 의자나 상자 등 위치를 가르칠

NCT 활용 예시

① | '프' 한글 카드 |

| NCT로 한글 프로그램 진행 |

② | '프' 획순 익히기 |

아이 손을 잡고 손가락으로
'프' 획순을 쓰도록 한다.

물건을 바닥에 둔다. 그리고 위치를 가리키는 한글 단어가 쓰인 각각의 카드(위, 아래, 옆, 안, 뒤 등의 카드)를 단어가 가리키는 위치에 둔다.

아이에게 특정 위치가 쓰인 똑같은 단어 카드를 하나씩 주고 같은 위치를 가리키는 단어 카드와 맞추도록 한다. 매칭을 시키는 것이다.

배우는 속도에 따라 하나의 위치만 반복해서 가르친 뒤 다음 위치를 가르치는 방식으로 난이도를 조절할 수 있다. 이 모든 과정을 아이가 잘하면 미리 둔 위치 카드는 치우고, 단어에 맞는 실제 위치에 카드를 가져다 두게 한다.

NCT는 딱히 정해진 법칙이나 절차가 없다. NCT는 연관성 및 짝 맞추기만 전제되면 어떻게 변형하든 문제 되지 않는다.

4. 비수반적 교수법의 원칙과 효과

NCT를 사용할 때는 지켜야 할 몇 가지 원칙이 있다. 먼저 NCT로 수업할 때는 일반적으로 아이에게 '아니'라는 말을 사용하지 않는다. NCT 교육에서는 아이에게 어떠한 요구도 하지 않기 때문이다. 내가 물건을 보여주면 아이가 해야 할 일은 보는 것뿐이다. 아이가 물건을 보면 나는 그때 이름을 말하고 다음 물건으로 넘어간다. 이 과정에서 내가 아이에게 지시를 내린 적이 없으니 '아니'라는 말을 쓰지 않는 것은 어쩌면 당연하다.

둘째로 NCT 교육에서는 아이가 보이는 모든 반응에 일일이 강화하지 않는다. DTT에서는 지시를 내리자마자 아이가 지시를 따르면 강화를 받는다. 그러나 비수반적 교수법에서는 매번 강화가 따라오지 않아도 된다. 앞서 설명했듯이 언어를 모방하는 과정 자체가 아이에게는 강화제로 작용한다. 따라서 각각의 항목마다 강화해줄 필요가 없다.

사실 나는 이 교육 방법의 이름을 잘못 지었다. 이름을 비수반적 교수법으로 지었지만 실제로는 조건 하나가 수반되기 때문이다. 수반되는 조건은 치료사가 들어 올린 물건을 아이가 봐야 한다는 것이다. 이렇게 조건이 수반되기에 엄밀히 따지면 이름을 잘못 지은 것이다. 그렇지만 나는 비수반적 교수법이라는 명칭이 좋아서 그대로 부르게 되었다.

NCT는 DTT에 비해 조건을 거의 사용하지 않는 교육법이다. DTT는 특성상 아이에게 구체적으로 지시를 내리고, 아이가 지시를 따르거나 따르지 않는 행동 결과에 따라 조건을 수반한다. DTT로 가르칠 때는 많은 요구와 조건이 따른다. 그래서 아이가 당신의 지시와 가르침을 무시하거나 거부할 기회가 수시로 발생한다. 치료사가 지시를 내릴 때마다 아이에게는 싸움의 기회가 주어진다.

NCT 교육은 지시라 할 만한 것을 거의 사용하지 않는다.

유일한 지시라면 당신이 제시한 사물을 아이가 봐야 한다는 것뿐이다. 심지어 그 사물을 보라고 아이의 머리를 강제로 돌릴 필요도 없다. 어떤 강요도 하지 않고 그저 물건이 잘 보이도록 드는 게 전부다. 아이가 그 물건을 빨리 보는 것이 수업을 빨리 끝낼 수 있는 유일한 방법이다. 물건을 보지 않으면 지루한 시간을 보낼 수밖에 없다. 프로그램 내용이 이렇다 보니 당신은 가르치는 과정에서 아이와 싸울 필요가 없다.

NCT는 배우는 아이의 참여를 직접 요구하지는 않는다. 따라서 학습에 대한 저항 및 불이행으로 벌어지는 갈등을 피할 수 있다. 처음부터 아이는 사물을 보기만 하면 되고, 당신은 사물의 이름을 말하기만 하면 된다. NCT를 진행하는 동안에는 아이와 다툴 일이 없다. 아이가 사물을 보지 않아도 가르치는 사람은 그런 태도를 딱히 지적하거나 고치려 하지 않는다. 그저 상대가 물건을 볼 때까지 자리를 벗어나지 못하게 할 뿐이다.

이 교육법이 효과적인 이유는 모방 자체가 아이에게 강화제로 작용하기 때문이다. 아이는 아주 어릴 때부터 부모나 형제자매가 하는 행동을 보고 따라 하는 경향이 있다. 다른 사람을 따라 하는 행위로 강화를 받지 않는다면 아이가 다른 사람의 행동을 모방할 리가 없다. 내가 아이에게 가위를 보여주면서 "가위"라고 말하면 아이는 주로 'ㄱ, 가' 또는 그와 비슷한 소리를 내려 한다. 아이는 모방으로 즐거워하며 자기 자신을 강화해주는 셈이다.

피드백과 강화/벌은 동일하지 않다

사람들은 피드백이 강화/벌과는 약간 다르다는 것을 이해하지 못하는 경우가 많다. 이 둘이 같을 때가 있지만 대부분은 엄연히 다르다. 어떤 사람이 아이에게 "잘했어!"라고 칭찬해주는 강화를 했다고 해보자. 만약에 아이의 언어 능력이 낮다면 잘했다고 말해주는 것이 아이에게는 단지 말일 뿐 강화로 받아들이기 어렵다. '잘했다'라는 말을 다른 가치 있는 무엇인가와 함께 주지 않으면 구두로 하는 칭찬은 단지 피드백 역할에 머물 뿐 강화가 되지 않는다.

마찬가지로 언어 능력이 낮은 아이에게 무엇을 잘못했다고 말하는 것도 단지 피드백으로 작용할 뿐 벌로 받아들여지지 않는다. 아이가 잘못했다는 것을 분명히 알 수 있는 무언가가 뒤따라야 한다. 이처럼 피드백과 강화/벌이 다르기에 치료사는 항상 이 점을 염두에 두어야 한다. 이 둘의 차이를 알고 잘 엮어서 사용하는 사람만이 실력 있는 치료사가 될 수 있다.

에필로그

암담한 현실에도 별을 보며 걸어가길

누군가 ABA를 배우는 게 어렵지 않냐고 묻는다면 나는 "예"와 "아니오"로 동시에 답할 것이다. ABA의 원칙이나 이론 자체를 이해하는 것은 그렇게 어렵지 않다. ABA에서 정말 어려운 것은 배운 내용을 실제 치료에 적용하는 것이다. 무엇은 하고, 무엇은 하지 말아야 하는지 머리로는 쉽게 이해한다. 언제 자녀의 시선을 피하고 무시해야 하는지, 언제 자녀의 부적절한 행동에 관심을 기울여서는 안 되는지 등은 ABA 이론을 배우면 곧바로 이해할 수 있다.

그러나 자신이 알고 있는 기술을 필요한 순간에 행동으로 옮기는 일은 결코 쉽지 않다. ABA는 이론으로 배울 때는 쉽지만, 아이에게 적용할 때는 무척 어려운 치료법이다.

ABA 치료는 배우는 아이도 힘들지만 가르치고 돌보는 가족에게도 무척 힘든 치료법이다. 가족 모두가 전적으로 헌신해야만 유의미한 결과를 얻을 수 있기 때문이다. 희생할 각오가 되어 있지 않거나 힘들이지 않고 치료하려는 가족에게는 ABA 치료가 적합하지 않다. ABA로 자녀를 가르치는 일은 당신이 인생에서 경험했거나 경험할 일 중에서 가장 힘들고 어려운 일이기 때문이다. 당신이 상상하는 것 이상으로 **ABA는 아주 아주 아주 어려운 치료법이다.**

그런데도 나는 당신에게 이 어려운 치료를 시도하라고 권하고 싶다. 자녀가 온갖 문제행동과 말썽을 피워도 절대로 치료를 포기하지 않고, 시간이 얼마가 걸리든 끝까지 최선을 다해 치료에 매진하라고 권하고 싶다. 내가 이렇게 말하는 이유는 **ABA가 매우 효과적이기 때문이다.** ABA 치료를 시작한다면 당신의 자녀는 나날이 발전할 것이다. 치료 과정이 무척 힘들고 어렵겠지만, 그 고통의 시간을 통과하면서 당신의 자녀는 분명히 회복될 것이다.

나는 한국 부모들이 자녀를 위해 희생하고 헌신하는 모습을 볼 때마다 감동을 받는다. 한국 부모들은 세계 어느 나라에서도 찾아볼 수 없는 열정과 헌신으로 자녀를 돌본다. 자녀에게 도움이 된다면 하나라도 더 배우기 위해 늦은 밤이나 새벽 시간도 마다하지 않고 교육에 참여한다. 심지어 새벽 두세 시에도 교육에 참여하는 열정을 보여주었다. 자신의 한계를 넘어설 정도로 자녀에게 최선을 다하는 한국 부모들을 보면 경외감마저 든다.

그래서 ABA 치료가 한국의 부모들에게 더 적합한 치료법이고, 다른 어떤 나라 사람들보다 한국 부모들이 더 잘 해낼 수 있는 치료법이라는 생각까지 든다.

아마 당신의 자녀는 오늘도 다양한 문제행동을 보일 것이다. 아이의 오늘만 보지 않고 내일과 모레, 더 나아가 5년 후를 내다본다면 아이의 미래는 분명히 달라질 것이다.

당신이 ABA를 배워 조기집중치료에 헌신한다면 자녀가 다양한 기술을 배우고 성장해 당신에게 큰 행복을 선물할 것이다. 내가 좋아하고 즐겨 인용하는 명언으로 당신을 격려하고 싶다.

"두 남자가 같은 창살 뒤에서 밖을 내다본다.

한 사람은 바닥의 진흙을 보고,

다른 사람은 하늘의 별을 본다."

– 프레드릭 랭브릿지

당신이 처한 암담한 현실에도 진흙을 보지 말고 별을 보며 걸어가길 바란다.

밥 선생님에게 ABA 교육을 받은 부모들

아이가 도전적 행동을 할 때마다 아이 행동에 어떻게 대처하고 가르쳐야 할지 몰라 무척 답답했다. 그때 미국에서 활동하던 밥 선생님을 우연히 만난 것이 나와 아이 인생에 큰 변화를 가져왔다. 밥 선생님은 탁월한 ABA 전문가로 자폐 자녀를 키우는 한국 부모들을 교육해 부모가 직접 아이를 가르치도록 도와주었다.

무엇보다 그는 아이를 가르칠 때 진심으로 아이를 대할 뿐만 아니라 아이를 가르치는 일 자체를 즐긴다. 지난 7년 동안 밥 선생님의 한결같은 가르침으로 암울했던 시간을 뒤로한 채 아이는 성장했다. 지난 시절 우리 가족처럼 자폐 아이를 어떻게 가르쳐야 할지 막막한 부모들에게 이 책을 권한다. 아이를 데리고 어디로 가야 할지 길과 방향을 알려줄 것이다.

김정미(서울, 자폐 아동 부모)

아이가 7살이 되던 해에 처음 밥 선생님을 만났다. 첫 화상 채팅 때 우리 부부에게 해준 이야기를 아직도 생생히 기억한다. "지금까지 가르치고자 했던 것을 자폐 아이에게 가르치지 못하거나 실패한 적이 단 한 번도 없습니다. 문제는 부모들이 아이에 맞춰 가르치는 방법을 모르는 것입니다. 아이가 배울 수 있는 방법으로 가르친다면 아이는 무엇이든 배울 수 있습니다." 밥 선생님이 가르쳐준 방법은 그

때까지 전혀 알지 못했던 완전히 새로운 방법이었다.

ABA로 아이를 가르치는 모습을 촬영한 영상을 밥 선생님에게 보내 피드백과 지도를 받으면서 나의 성장과 함께 아이도 조금씩 발전하기 시작했다. 밥 선생님의 도움을 받으며 직접 가르친 6개월 동안 아이는 빠른 속도로 배우며 따라왔다. 내가 직접 아이를 가르치다 보니 일상생활 전부가 치료 시간이었다. 밥 선생님의 ABA 강의가 책으로 출간된다는 소식을 들으니 처음 밥 선생님을 만났을 때의 감격적인 순간이 떠올라 기쁘고 감사한 마음이 앞선다. 이 책을 읽는다면 좋은 교사를 옆에 둔 것처럼 많은 유익을 얻게 될 것이다.

박명희(대구, 자폐 아동 부모)

평범한 일상을 꿈꾸는 것조차 막막했던 나에게 밥 선생님과의 컨설팅은 희망의 시작이었다. 아이에게 듣고 싶었지만, 들을 수 없는 말들이 있었다. "배 아파요. 화장실에 가고 싶어요.", "배고파요. 밥 주세요." 등등의 말들. 그러나 어느 순간부터 이 말을 들을 수 있었다. 아이와 함께 식당, 마트, 박물관, 도서관에 가는 것 역시 더는 힘들지 않게 되었다. 일반 사람에게 당연했던 평범한 일상이 나와 아이에게도 꿈이 아닌 현실로 바뀌고 있는 것이다.

내가 밥 선생님에게 받은 가장 큰 선물은 희망을 포기하지 않는 것이었다. 아이가 살아갈 미래가 지금보다 더 나은 삶이 되도록 가르침을 멈추지 말라는 그의 격려가 희망을 움켜 쥐게 만들었다. 그 희망을 간직했기에 아이의 성장 가능성을 열어두고 최선을 다해 가르칠 수 있었다.

ABA로 아이를 가르치고 싶지만, 아직 주저하고 있는 부모님들에게 이 책을 추천한다. 이 책을 통해 ABA를 배우고 실천하는 동안 아이가 배우고 성장하는 놀라운 변화를 경험할 것이다. 평범한 일상을 꿈꾸는 부모님들에게 이 책은 충분한 희망을 보여줄 것이다.

박금목(울산, 자폐 아동 부모)

밥 선생님은 슈퍼맨의 스판덱스만 안 입었지 우리 부모들의 영웅이다. 절대로 과장된 표현이 아니다. 내가 아이에게 주었던 많은 것은 밥 선생님에게서 나온 것이다. 아이가 갈 수 있는 최대치에 도달하도록 강화로 이끌고, 아이와 우리 인생의 긴 그림을 그려보고, 행복한 삶을 위해 했던 모든 것들이. 힘겨운 오르막을 올라가는 내 등 뒤에서 항상 웃는 얼굴로 밀어준 사람 역시 밥 선생님이다. 그래서 밥 선생님을 생각하면 돌아가신 부모님이 떠올라 눈물이 나면서도 아직 우리 옆에 있기에 무한한 감사의 마음이 든다.

밥 선생님은 ABA가 아이들에게 가장 의미있는 가르침이 될 수 있도록 발전시켜 왔다. 이 책은 그의 가르침이 농축된 결과물이라고 할 수 있다. 한국의 아이들이 밥 선생님으로부터 직접 서비스를 받지 못해 늘 안타까웠는데, 이 책이 발간되어 정말 다행스럽게 생각한다. 책과 더불어 'ABA캥거루' 유튜브 강의를 본다면 추가적인 도움도 받을 수 있다. 아이의 행복을 위해 용기를 가지고 밥 선생님의 가르침을 따라가다 보면 아이의 발전을 경험하게 될 것이다.

박미현(파주, 자폐 아동 부모)